LONDRES

Libre Expression
QUEBECOR MEDIA

Gauche **Old English Garden, Battersea Park** Droite **Tower Bridge**

Libre ＊ Expression
QUEBECOR MEDIA

DIRECTION
Cécile Boyer-Runge

DIRECTION ÉDITORIALE
Catherine Marquet

ÉDITION
Catherine Laussucq
Avec la collaboration d'Aurélie Pregliasco
et de Krysia Roginski

TRADUIT ET ADAPTÉ DE L'ANGLAIS PAR
Catherine Ludet et Virginie Mahieux

MISE EN PAGES (PAO)
Maogani

DK

Ce guide Top 10 a été établi par
Roger Williams

Publié pour la première fois en Grande-
Bretagne en 2002 sous le titre : *Eyewitness
Top 10 Travel Guides : Top 10 London*
© Dorling Kindersley Limited, London 2002
© Hachette Livre (Hachette Tourisme) pour
la traduction et l'édition française 2003
© Éditions Libre Expression, 2003, pour
l'édition française au Canada
Tous droits de traduction, d'adaptation et de
reproduction réservés pour tous pays.

IMPRIMÉ ET RELIÉ EN ITALIE PAR GRAPHICOM

Éditions Libre Expression
7, chemin Bates
Outremont (Québec)
H2V 4V7

Dépôt légal : 1er trimestre 2003
ISBN : 2-7648-0037-1

Le classement des différents sites
est un choix de l'éditeur et n'implique
ni leur qualité ni leur notoriété.

Sommaire

Londres Top 10

Aussi soigneusement qu'il ait été établi,
ce guide n'est pas à l'abri
des changements de dernière heure.
Faites-nous part de vos remarques,
informez-nous de vos découvertes
personnelles : nous accordons
la plus grande attention
au courrier de nos lecteurs.

Gauche **Péniche aménagée, Regent's Canal** Droite **Riverside Walk, Southbank**

Gauche **The Lamb and Flag, pub de Covent Garden** Droite **Vue panoramique du haut de Parliament Hil**

LONDRES
TOP 10

🔟 À ne pas manquer

Ville infiniment colorée et cosmopolite, Londres, dont l'origine remonte à plus de 2 000 ans, est à la fois une cité riche en histoire et une métropole résolument moderne, à l'avant-garde de la mode, de la musique et des arts. Une multitude de centres d'intérêt y attend le visiteur : le chapitre suivant présente les 10 sites à ne pas manquer.

1 British Museum
Ce musée, le plus vieux du monde, réunit un nombre exceptionnel de trésors et d'artefacts en provenance de tous les coins de la planète *(p. 8-11)*.

National Gallery et Portrait Gallery 2
L'une des plus importantes collections de peinture de la nation s'y enorgueillit de quelques-uns des chefs-d'œuvre indiscutables du monde *(p. 12-15).*

3 London Eye
Cette grande roue (d'un diamètre inégalé), qui contemple de la rive sud les Houses of Parliament, offre de magnifiques panoramas de la ville *(p. 16-17).*

4 Tate Modern et Tate Britain
Œuvres exécutées à partir de 1900 (Tate Modern) et art national de 1500 à nos jours (Tate Britain) constituent un éblouissant ensemble artistique international *(p. 18-21).*

5 Natural History Museum
La géologie de la Terre et les innombrables formes de vie de notre planète sont à l'honneur dans cette institution impressionnante *(p. 22-23).*

Abréviations : **EP** *Entrée payante* **EG** *Entrée gratuite* **C** *Climatisation* **PC** *Pas de climatisation*

6 Science Museum

Immense musée aux objets rares, montrant et expliquant les merveilles de la science *(p. 24-25)*.

Buckingham Palace 7

Demeure officielle de la reine, Buckingham Palace est l'un des sites favoris des visiteurs de Londres, qui peuvent y assister à la relève quotidienne de la Garde *(p. 26-27)*.

8 Westminster Abbey et Parliament Square

Depuis 1066, tous les monarques britanniques ont été couronnés dans cette abbaye royale *(p. 32-35)*.

9 Tower of London

La Tour de Londres, de sanglante mémoire, successivement palais royal, forteresse et prison, abrite les joyaux de la Couronne *(p. 36-39)*.

York Way
Pentonville Road
King's Cross Rd
City Road

Finsbury

Old Street

Theobald's Rd

...msbury

Holborn

Holborn

10 City

Cannon St

Covent Garden

Strand

River Thames

South Bank

4 Southwark

Blackfriars Road

Waterloo Rd

9

Commercial St

Bishopsgate

Tower Bridge Road

Long Lane

Great Dover St

...stminster

New Kent Road

Lambeth

1 ⌐————————⌐ *miles* ⌐ 0 ⌐ *km* ⌐————————⌐ 1

10 St Paul's Cathedral

Chef-d'œuvre baroque de sir Christopher Wren, la cathédrale, qui domine les toits de la City, fut le cadre de grandes cérémonies officielles *(p. 40-43)*.

Abréviations : j.f. *jour férié* **t.l.j.** *tous les jours*
AH *Accès handicapés* **PAH** *Pas d'accès handicapés*

7

British Museum

*Le plus ancien musée du monde ne contient pas
moins de 6 million d'objets témoignant de
1,8 million d'années de civilisation. Cette collection
naquit en 1753 grâce au legs de Sir Hans Sloane,
médecin et amateur d'antiquités. Aux XVIIIᵉ et XIXᵉ s.,
voyageurs et émissaires tels que James Cook, Lord
Elgin, Lord Curzon et Charles Townley y ajoutèrent
des trésors de différents endroits du monde.
L'édifice actuel de style classique fut terminé vers
1850 et ultérieurement augmenté de la
bibliothèque qui, en l'an 2000, prit la forme d'un
nouvel espace public, la Great Court (p. 11).*

Façade du British Museum

🍽 **Deux cafétérias et
restaurants.**

**Les pique-niques sont
autorisés dans la cour
de l'entrée principale.**

🎧 **Présentation des
chefs-d'œuvre de la
collection (vi. gui.).**

**Le British Museum
vend des reproductions
d'objets exposés.**

• Great Russell St WC1
• Plan L1
• 020 7323 8000
• www.thebritish
museum.ac.uk
• Ouv. t.l.j. 10h-17h30
(certaines galeries
jeu. et ven. 10h-
20h30). Great Court :
ouv. lun. 9h-18h,
mar., mer. et dim.
9h-21h, mar., jeu.-
sam. 9h-23h
• Vi. gui. t.l.j. 10h30,
11h30, 12h30, 13h30,
14h30 et 15h30

Les œuvres

1. Elgin Marbles
2. Chat momifié
3. Bélier dans un bosquet
4. Mildenhall Treasure
5. Rosetta Stone
6. Portland Vase
7. Ramsès II
8. Mixtec-Aztec Mosaic Mask
9. Kwakwaka'wakw
10. Amitabha Bouddha

1 Elgin marbles

Ce marbre du Parthénon
(ci-dessous), remontant au
règne de Périclès
(Vᵉ s. av. J.-C.),
montre une
procession en
l'honneur
d'Athéna. Il
fut cédé en 1779
à Lord Elgin,
ambassadeur à
Constantinople.

Légende du plan

▨ Sous-sol
▨ Rez-de-chaussée
▨ 1ᵉʳ étage

2 Chat momifié

Selon les Égyptiens de
l'Antiquité, certaines divinités
s'incarnaient dans des
animaux. Chats et vaches
sacrées étaient momifiés.
Cet objet, en provenance
d'Abydos, date environ
du XXXᵉ s. avant
J.-C.

3 Bélier dans un bosquet

À l'instar d'autres vestiges,
ce bélier dressé, ornement
inestimable décoré à la feuille
d'or et orné de coquillages,
provient d'Ur, ville de Sumer,
l'une des plus anciennes
civilisations du monde.

4 Mildenhall Treasure
Ces 34 assiettes d'argent du IVe s., découvertes à Mildenhall, Suffolk, constituent l'un des trésors anglais les plus anciens. Décors de dieux marins, de satyres et autres personnages de légende.

5 Rosetta Stone
En 196 avant J.-C., des prêtres égyptiens écrivirent un décret en grec et en hiéroglyphes sur une stèle. Découverte en 1799, la « pierre de Rosette », livra le secret de l'écriture picturale égyptienne.

6 Portland Vase
Vendu à la duchesse de Portland par sir William Hamilton, ambassadeur de Grande-Bretagne à Naples, cet exquis vase de verre opaque bleu du Ier s., trouvé dans une tombe romaine, fut probablement fabriqué par un artisan grec.

7 Ramsès II
Acquis par Charles Townley, ambassadeur britannique à Rome, ce seul vestige de la statue de granit colossale de Ramsès II (1275 av. J.-C. env.) provient du temple de Thèbes érigé en l'honneur du pharaon.

8 Mixtec-Aztec Mosaic Mask
Exécuté par des artisans mixtèques pour la cour royale aztèque, ce masque de mosaïque *(ci-dessous)*, qui serait celui du dieu Quetzalcoatl, remonte au XVe s.

9 Kwakwaka'wakw
L'immense oiseau de tonnerre indien d'Amérique du Nord, peint et sculpté, servait d'enclume pour casser les *coppers* (sorte de monnaie) lors des *potlatches* (cérémonies au cours desquelles les chefs de tribus détruisaient leurs biens matériels).

10 Amitabha Bouddha
Cet impressionnant bouddha de grès chinois de la dynastie Sui remonte à environ 585, époque où le bouddhisme devint religion d'État.

Suivez le guide
Des guides avec plans détaillés sont vendus au comptoir d'information de la Great Court. Vous pouvez aussi prévoir un parcours sur ordinateur (Compass) à la bibliothèque. Sinon, commencez à gauche de l'entrée principale avec l'Assyrie, l'Égypte, la Grèce et Rome. Au 1er étage, les galeries ethnographiques de l'aile nord permettent de sortir de l'Antiquité, ainsi que les collections britanniques anciennes, médiévales et Renaissance.

Les autres musées de Londres p. 48-49

Gauche **Portique classique, British Museum** Droite **L'Homme de Lindow**

Collections du British Museum

1 Proche-Orient ancien
Les spectaculaires bas-reliefs sculptés du palais assyrien de Ninive marquent le début de quelque 6 000 ans d'histoire.

2 Antiquités égyptiennes
Momies et sarcophages parmi 70 000 objets de l'une des plus grandes collections du monde.

Vase grec ancien

3 Antiquités grecques et romaines
Chefs-d'œuvre du monde antique (de 3000 av. J.-C. à l'an 400), comportant les marbres d'Elgin et des vases grecs et romains.

Plan

4 Antiquités japonaises et orientales
Bas-reliefs de calcaire bouddhiques de l'Inde, antiquités chinoises, poteries islamiques et immense collection japonaise exposée par roulement.

Masque de mouette d'indigène canadien

5 Ethnographie
350 000 objets de peuples primitifs du monde entier. Ouverture d'une nouvelle galerie africaine prévue pour 2003.

6 Préhistoire et haut Moyen Âge
Des peintures rupestres aux vestiges romains, cette vaste collection comprend l'Homme de Lindow, au corps préservé depuis 2 000 ans.

7 Europe médiévale et moderne
Ensemble d'arts décoratifs : des bijoux médiévaux et horloges Renaissance aux poteries du XXᵉ s.

8 Monnaies et médailles
Plus de 750 000 pièces, billets et médailles, du VIIᵉ s. av. J.-C. à nos jours. L'une des plus riches collections du monde.

9 Gravures et dessins
Œuvres inestimables datant de la Renaissance dans cet ensemble dont la présentation varie régulièrement.

10 The Joseph Hotung Great Court Gallery
Petite galerie d'expositions permanentes attachée à l'ancienne salle de lecture du British Museum.

Les autres musées de Londres **p. 48-49**

Les lecteurs célèbres

1. Karl Marx (1818-1883), révolutionnaire allemand
2. Mahatma Gandhi (1869-1948), philosophe indien
3. Oscar Wilde (1854-1900), écrivain et bel esprit
4. Virginia Woolf (1882-1941), romancière de Bloomsbury
5. W. B. Yeats (1865-1939), poète et auteur dramatique irlandais
6. Thomas Hardy (1840-1928), romancier du Dorset
7. George Bernard Shaw (1856-1950), auteur dramatique irlandais
8. E. M. Forster (1879-1970), romancier anglais
9. Rudyard Kipling (1865-1936), poète, romancier et chroniqueur de l'Empire
10. Léon Trotski (1879-1940), révolutionnaire russe

La Great Court

Magnifique extension couronnée de verre, ouverte en décembre 2000, la nouvelle Great Court, conçue par Norman Foster, enveloppe aujourd'hui la salle de lecture de la British Library, construite en 1857. Actuellement installée à St Pancras (p. 107), la bibliothèque, qui abrite l'une des collections de livres et de manuscrits les plus vastes du monde, a vu travaillé nombre de grands

Détail de portique

intellectuels et écrivains londoniens. La Great Court accueille une boutique, une cafétéria, un restaurant et un centre d'études.

Le toit de la Great Court
Au milieu du toit de verre, apparaît le dôme surmontant la salle de lecture de la British Library. Dans cette dernière, le public consulte des ordinateurs délivrant des informations sur le musée.

Toit de verre à la Great Court

11

🔟 National Gallery

Couvrant la période du début de la Renaissance à l'impressionnisme, les 2 300 tableaux de la National Gallery constituent l'une des plus grandes collections du monde, où figurent les œuvres des maîtres appartenant aux principales écoles européennes. Acheté par John Julius Angerstein en 1824, cet ensemble fut installé en 1838 dans le bâtiment actuel (qui comporte également la National Portrait Gallery, p. 14-15). La Sainsbury Wing, inaugurée en 1991, se consacre aux magnifiques peintures de la Renaissance.

Façade de la National Gallery

🍴 Cafétéria spacieuse et bon restaurant.

📚 La Sainsbury Wing possède une excellente librairie d'art.

Vi. gui. et location d'audioguides.

Projection de la collection sur écran, Micro Gallery, Sainsbury Wing.

• Trafalgar Square WC2
• Plan L4
• 020 7747 2885
• www.nationalgallery. org.uk
• Ouv. t.l.j. 10h-18h (mer. 10h-21h). Sainsbury Wing ouv. mer. jusqu'à 22h
• EG
• Vi. gui. t.l.j. 11h30 et 14h30 (aussi mer. 18h30)

1 La Vierge et l'Enfant avec sainte Anne et saint Jean-Baptiste
Cette esquisse de tableau grandeur nature de Léonard de Vinci (1452-1519), désignée sous le terme de « carton », est l'un des chefs-d'œuvre de la Renaissance.

Les tableaux

1. La Vierge et l'Enfant avec sainte Anne et saint Jean-Baptiste
2. Les Époux Arnolfini
3. Les Ambassadeurs
4. Le Diptyque de Wilton
5. La Toilette de Vénus
6. Nativité mystique
7. Le Repas d'Emmaüs
8. Jeune fille devant un virginal
9. Femme se baignant dans un ruisseau
10. Baigneurs à La Grenouillère

2 Les Époux Arnolfini
Dans ce portrait d'un banquier italien et de son épouse à Bruges *(ci-dessus)*, l'un des tableaux les plus célèbres de l'importante collection flamande du musée, Jan van Eyck (1389-1441) éleva la peinture à l'huile à un niveau d'expression exceptionnel.

3 Les Ambassadeurs
Riche de symboles, cette œuvre mystérieuse de Hans Holbein (1533) montre au premier plan un crâne en perspective.

Légende du plan

▦	Aile nord
▦	Aile est
▦	Aile ouest
▦	Aile Sainsbury

5 La Toilette de Vénus

Peinte à Rome pour remplacer un tableau vénitien perdu, *La Toilette de Vénus (ci-contre)*, est le seul nu de Diego Vélasquez (1599-1660), peintre de Philippe IV d'Espagne.

6 Nativité mystique

Nul n'a su mieux dépeindre la grâce féminine que Sandro Botticelli (1445-1510). Exécutée au tournant d'un siècle, cette œuvre, qui comporte une inscription de la *Révélation*, reflète les angoisses du peintre.

9 Femme se baignant dans un ruisseau

Au sommet de sa technique, Rembrandt (1606-1669) exécuta ce portrait qui met en évidence ses coups de pinceau vifs et sa maîtrise des couleurs terreuses.

Entrée sur Trafalgar Square

7 Le Repas d'Emmaüs

Maître de l'ombre et de la lumière, Caravage (1573-1610) peignait sans esquisse, en utilisant décors et costumes d'époque pour susciter une impression de réalisme.

10 Baigneurs à La Grenouillère

Claude Monet (1840-1926), à l'origine de l'impressionnisme, étudia les effets de lumière sur l'eau à La Grenouillère *(ci-dessus)*, lieu de baignade apprécié de la Seine, où il travailla aux côtés d'Auguste Renoir.

4 Le Diptyque de Wilton

Dans cette exquise peinture royale anglaise *(ci-dessous)*, chef-d'œuvre d'art gothique d'un artiste inconnu, Richard II, roi d'Angleterre, est présenté à la Vierge par saint Jean-Baptiste, saint Édouard et saint Edmond.

8 Jeune fille devant un virginal

Une atmosphère paisible se dégage des œuvres de Jan Vermeer (1632-1675). Nombre de ses tableaux d'intérieur *(ci-dessus)* furent peints dans sa maison de Delft, mais aucun de ses modèles n'a pu être identifié.

Suivez le guide

La galerie se compose de quatre parties : Sainsbury Wing (début Renaissance, œuvres de 1260 à 1510), West Wing (de 1510 à 1600), North Wing (de 1600 à 1700) et East Wing (de 1700 à 1900). Bien que l'entrée principale se trouve sur Trafalgar Square, Sainsbury Wing constitue un point de départ plus logique.

Les autres galeries de Londres p. 50-51

🔟 National Portrait Gallery

Particulièrement intéressante et agréable, cette galerie, totalement indépendante de la National Gallery voisine, fut inaugurée en 1856. On peut y découvrir des noms célèbres, associés à des visages aux traits peu familiers, dans des tableaux datant de l'époque des Tudors à nos jours. Tous les monarques, de Richard II (1367-1400) à Elizabeth II, y figurent, auprès d'une miniature de 1554, autoportrait à l'huile le plus ancien se trouvant en Angleterre. La galerie attribue des prix annuels de peinture et de photographie.

Elizabeth I
1 Ce portrait exécuté par un artiste anonyme figure parmi d'autres représentations de la souveraine (1533-1603). Les salles Tudor, particulièrement intéressantes, contiennent deux vitrines de miniatures peintes, genre très apprécié à l'époque.

Blason royal ornant l'entrée principale

🍴 **Le restaurant offre une vue splendide au-delà de Trafalgar Square et de Whitehall, jusqu'au Parlement.**

🛍 **La librairie propose des ouvrages sur la mode, le costume, l'histoire, ainsi que des biographies.**

La boutique cadeaux du rez-de-chaussée vend de belles cartes postales.

Concerts gratuits le vendredi à 19h et conférences gratuites le jeudi à 19h.

- St Martin's Place WC2
- Plan L3
- 020 7312 2463
- www.npg.org.uk
- Ouv. sam.-mer. 10h-18h, jeu-ven. 10h-21h
- EG

Les portraits

1. Elizabeth I
2. Shakespeare
3. Les sœurs Brontë
4. Peinture murale de Whitehall
5. George Gordon, 6e Lord Byron
6. Horatio Nelson
7. Alfred Lord Tennyson
8. Les Beatles
9. Germaine Greer
10. Margaret Thatcher

Shakespeare
2 Unique portrait du plus célèbre auteur dramatique britannique, qui fut peint à son époque (1564-1616).

Les sœurs Brontë
3 Trouvé dans un tiroir en 1914, ce portrait des trois sœurs talentueuses du Yorkshire, Charlotte, Emily et Anne, fut peint par leur frère, Branwell, dont l'image floue apparaît derrière elles.

Légende du plan

- Rez-de-chaussée
- 1er étage
- 2e étage

4 Peinture murale de Whitehall

Cette esquisse d'une grande peinture murale du palais de Whitehall, perdue dans l'incendie de 1698, est l'œuvre de Hans Holbein (1537).

George Gordon, 6e Lord Byron 5

La peinture de Lord Byron (1788-1824), par Thomas Phillips, représente le poète en tenue albanaise. Ce chantre de la liberté mourut en combattant les Turcs, aux côtés des insurgés grecs.

6 Horatio Nelson

Le tableau de 1799, par Guy Head *(ci-dessous)*, montre l'amiral après la bataille du Nil. Hormis la reine Victoria et le duc de Wellington, il fut peint plus souvent que tout autre figure britannique.

7 Alfred Lord Tennyson

Cette représentation du poète lauréat est due à une pionnière de la photographie, Julia Margaret Cameron (1815-1879) à qui un appareil fut offert à l'âge de 48 ans. Elle fut remarquée pour ses portraits de Tennyson, de Charles Darwin et de l'essayiste Thomas Carlyle.

8 Les Beatles

Les photographies prirent une importance nouvelle dans les années 1960, lorsque les photographes devinrent eux-mêmes des stars. Norman Parkinson, qui prit ce cliché, fut l'un des photographes de *Vogue*.

9 Germaine Greer

L'auteur féministe de *La Femme eunuque (ci-dessous)* est brillamment saisie par Paula Rego, qui passa un an comme artiste résidente à la Portrait Gallery.

10 Margaret Thatcher

Les célébrités d'aujourd'hui sont plus susceptibles de poser pour une photographie que pour un tableau. Ce portrait révélateur par Helmut Newton permet d'observer à loisir l'ancien Premier ministre.

Suivez le guide

Les trois niveaux de la Gallery sont disposés chronologiquement. Commencez par les départements Tudor et Stuart (1 à 8), au second étage, puis admirez les hommes et femmes des arts, de la science et de l'industrie, du XVIIIe et du début du XIXe s. (9 à 20). Au 1er, s'étalent figures éminentes de l'époque victorienne et premières photographies. La Balcony Gallery expose photographies et portraits contemporains.

Les autres galeries de Londres p. 50-51

TOP 10 London Eye

Étonnante réussite technique, cette grande roue, la plus haute du monde, offre des panoramas splendides de toute la ville. Dominant la Tamise, face aux Houses of Parliament, et construite pour célébrer l'année du Millennium, elle connaît un énorme succès. De ses 32 capsules fermées, dont chacune peut contenir 25 personnes, on jouit d'une visibilité totale dans toutes les directions. La rotation complète s'effectue en 30 min. Du sommet, par temps clair, la vue s'étend jusqu'à 40 km.

Capsule panoramique

🍴 **Deux cafétérias dans le County Hall.**

🎫 **Réservation conseillée. Toutefois, la billetterie délivre quelques billets pour la journée.**

Location de jumelles près de la billetterie.

La nuit tombée, les panoramas se teintent de romantisme.

- *South Bank SE1*
- *Plan N5*
- *0870 5000 600*
- *www.ba-londoneye.com*
- *Ouv. avr.-mi-sept., t.l.j. 9h30-22h ; mi-sept.- mars, t.l.j 10h-20h. Fer. 2 semaines l'hiver.*
- *Prix variable*
- *Les billets sont délivrés pour 1h ou 30 min ; l'embarquement peut prendre jusqu'à 30 min.*

Les sites

1. Houses of Parliament
2. Églises de Wren
3. Canada Tower
4. Tower 42
5. British Telecom Tower
6. Windsor Castle
7. Heathrow
8. Alexandra Palace
9. Crystal Palace
10. Queen Elizabeth II Bridge

1 Houses of Parliament

S'élevant au-dessus du Parlement *(p. 34)*, situé sur l'autre rive de la Tamise, le London Eye permet d'admirer Big Ben et la Commons Terrace, où parlementaires et membres de la Chambre des Lords prennent l'apéritif ou le dîner, en discutant politique au bord de l'eau.

3 Canada Tower

L'édifice le plus élevé de Londres se dresse sur « l'île des Chiens » (Isle of Dogs) à Canary Wharf *(p. 153)*, centre des affaires et des finances situé au cœur des Docklands, dans un méandre de la Tamise où s'étendaient les West India Docks.

2 Églises de Wren

Le dôme de St Paul's Cathedral *(p. 40-43)* jaillit au-dessus des toits. Tout autour se dressent les flèches de 31 autres églises conçues par Wren telles que St Bride's, la plus haute, qui inspira nombre de gâteaux de mariage.

Tower 42
4 Construite pour la National Westminster Bank, cette structure resta la plus haute jusqu'à la construction de la Canada Tower. Elle surgit des toits, indiquant que Londres est relativement épargnée par les gratte-ciel.

British Telecom Tower
5 Érigée pour le Post Office de 1961 à 1965, cette tour de 190 m *(ci-contre)* est consacrée à la radio, à la télévision et aux télécommunications. Dans les années 1970, l'activisme de l'IRA entraîna la fermeture du restaurant situé au sommet.

Crystal Palace
9 Cet émetteur de la BBC, au sud de la ville *(ci-dessous),* se dresse près du site de l'ancien Crystal Palace, palais d'exposition érigé à cet endroit en 1852 et détruit par le feu en 1936.

Queen Elizabeth II Bridge
10 Vous pouvez apercevoir le pont suspendu de Dartford traversant la Tamise à 32 km en aval. Les véhicules se dirigeant vers le nord empruntent un tunnel sous le fleuve, ceux allant vers le sud franchissent le pont.

Windsor Castle
6 Au bord de la Tamise, à l'ouest de Londres, le château de Windsor, plus grand palais du monde encore habité, reste une résidence favorite de la famille royale.

Heathrow
7 À l'ouest, l'aéroport principal de Londres est l'un des centres aériens internationaux au trafic le plus intense. La Tamise permet aux avions de s'aligner pour amorcer leur descente.

Alexandra Palace
8 La première émission de télévision haute définition du monde fut transmise le 2 novembre 1936 depuis l'Alexandra Palace, qui abrite une piste de hockey sur glace et des halls d'exposition.

Héritage du Millennium

Le London Eye de British Airways s'inscrit dans un ensemble de réalisations destinées à célébrer le nouveau millénaire. À Greenwich, fut élevé le Millennium Dome, structure énorme et spectaculaire destinée à abriter une exposition nationale. Citons, parmi les autres créations, la Tate Modern *(p. 18-19)*, le Millennium Bridge, la Waterloo Millennium Pier, la Great Court du British Museum *(p. 8-11)* et l'ouverture de Somerset House *(p. 99)*.

10 Tate Modern

Affilié à la Tate Britain (p. 20-21), le plus stimulant des nouveaux musées londoniens est installé dans une ancienne centrale électrique, au bord de la Tamise, en face de la City. Assez vaste pour accueillir des installations d'envergure, il est doté de 88 départements offrant espace et lumière à une imposante collection d'art moderne international, qui rassemble des œuvres majeures de Dali, Picasso, Matisse, Rothko et Warhol, entre autres créations d'artistes contemporains.

Les Trois Danseurs
4 Pablo Picasso (1881-1973), l'un des peintres majeurs du XXᵉ s., maîtrisa différents styles de peinture, tout en repoussant les limites de l'art moderne. *Les Trois Danseurs (ci-dessus)* illustre le début d'une période majeure de son art.

La Bankside Power Station abrite aujourd'hui la Tate Modern

🖴 Beau panorama offert par la cafétéria du niveau 7. Vue sur les jardins à celle du niveau 2. Le balcon de l'Espresso Bar, niveau 4, donne sur l'eau.

🛍 La boutique du Turbine Hall, proposant plus de 10 000 titres, se veut la plus grande librairie d'art de Londres.

Cinéma, vidéos, discussions et vi. gui. sont affichés dans le hall principal.

- Bankside SE1
- 020 7887 8008
- www.tate.org.uk
- Plan R4
- Ouv. dim.-jeu. 10h-18h, ven-sam. 10h-22h. Fer. 24-26 déc.
- EG (expositions temporaires payantes)

Les œuvres

1 Fontaine
2 Le Bain
3 Marilyn Diptych
4 Les Trois Danseurs
5 Forms Without Life
6 Light Red over Black
7 Summertime nº 9A
8 Le Baiser
9 Composition (Homme et Femme)
10 England

Fontaine
1 Tout objet désigné au hasard peut être décrit comme une œuvre d'art, selon Marcel Duchamp (1887-1968). Son urinoir, baptisé *Fontaine*, illustre le goût de l'absurde qui parcourt l'art contemporain.

Marilyn Diptych
3 Andy Warhol (1927-1987), pionnier new-yorkais du Pop Art, créa cette représentation multiple *(ci-dessus)* aussitôt après la mort de cette dernière, en 1962. Il réalisa également des films « underground » comprenant un grand nombre de courts-métrages.

Le Bain
2 Dans ce tableau, Pierre Bonnard (1867-1947), célèbre pour son approche très personnelle de la composition, utilisa, pour mettre son sujet en valeur, un arrière-plan aux lignes nettes. La luminosité des couleurs empreint le tableau d'une suave sensualité.

5 Forms Without Life

Leader des artistes anglais contemporains, Damien Hirst (né en 1965) travaille pour ses premières œuvres avec des animaux morts. *Formes sans vie,* qui montre de magnifiques coquillages, représente le dilemme entre la collection, la connaissance et la vie.

Light Red over Black 6

Dans cette œuvre de *Ten Very Large Paintings,* série de Mark Rothko (1903-1970), peintre expressionniste américain, des bandes de couleur pure suscitent un état contemplatif *(ci-contre).*

7 Summertime n° 9A

Jackson Pollock (1912-1966) fut le pionnier de l'Action Painting. Il réalisa sa première œuvre en 1947, en versant directement la peinture sur de grandes toiles fixées au sol. Cette création date de 1948 *(ci-dessous).*

8 Le Baiser

Ce couple enlacé, exécuté par Auguste Rodin (1840-1917), représente des personnages d'un célèbre poème épique médiéval : *L'Enfer* de Dante. Les amants, Paulo et Francesca, seront tués par l'époux de cette dernière, fou de rage.

9 Composition (Homme et Femme)

Albert Giacometti (1901-1966), éminent sculpteur du XXᵉ s., est l'un des artistes favoris de la Tate qui abrite plusieurs de ses œuvres, en particulier cette pièce de 1927 *(ci-dessous).* Créée alors qu'il s'intéressait au cubisme, elle explore différentes façons de représenter le corps humain.

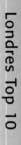

Légende du plan

▓ Niveau 3
▓ Niveau 4
▓ Niveau 5

10 England

Datant de 1980, cette œuvre est due à Gilbert et George, duo de réputation internationale dont plusieurs créations figurent à la fois à la Tate Modern et à la Tate Britain.

Suivez le guide

Entrez par l'immense Turbine Hall au sous-sol, niveau 1 (où sont situés le comptoir d'information, la boutique principale et les toilettes), ou pénétrez dans le musée au rez-de-chaussée, niveau 2, par le café ou le Millennium Bridge. Les départements à thème sont situés aux niveaux 3 (nu/action/corps ; histoire/mémoire/société) et 5 (nature morte/objet/vie réelle ; paysage/matière/environnement). Les expositions temporaires ont lieu au niveau 4. Le niveau 7 comporte un café.

Les autres galeries de Londres p. 50-51

🔟 Tate Britain

Fondée par Henry Tate (1819-1999), roi du sucre, ce musée national de l'art britannique, inauguré en 1897, abrite une somptueuse collection d'œuvres de 1500 à nos jours. Tous les peintres majeurs de Grande Bretagne y figurent, en particulier J. M. W. Turner. Selon le Centenary Development, une nouvelle conception de l'exposition des tableaux permet à tous ces grands artistes d'être admirés en profondeur. Les peintures circulent entre diverses galeries à travers tout le pays.

Grand portique de la Tate Britain

☕ **Bonne cafétéria au sous-sol.**

Excellent restaurant avec bonne carte des vins.

🎬 **Vi. gui. gratuites, discussions et films tous les jours de la semaine.**

Audioguides pour £1 (collection principale) ou £3 (expositions temporaires).

Librairie d'art très riche.

Toilettes gratuites.

- Millbank SW1
- Plan E5
- 020 7887 8000
- www.tate.org.uk
- Ouv. t.l.j. 10h-17h50. Fer. 24-26 déc.
- EG (EP pour la plupart des expositions temporaires)

Les tableaux

1. Norham Castle, Sunrise
2. Flatford Mill
3. Wooded Landscape with a Peasant Resting
4. Three Ladies Adoring a Term of Hymen
5. Mare and Foals in a River Landscape
6. Elohim Creating Adam
7. A Scene from the Beggar's Opera
8. Sancta Lilias
9. Pink and Green Sleepers
10. Three Studies for a Figure at the Base of a Crucifixion

1 Norham Castle, Sunrise

J. M. W. Turner (1775-1851) fut le génie incontesté des peintures de paysages. Cette œuvre illustre son goût de l'abstraction et de la luminosité des couleurs.

Flatford Mill 2

Cette scène est due à l'autre grand peintre de paysages anglais, John Constable (1776-1837), qui représentait surtout le Suffolk et Londres et s'intéressait tout particulièrement aux formations de nuages.

3 Wooded Landscape with a Peasant Resting

Thomas Gainsborough (1727-1788), peintre de portraits et de paysages, était apprécié par la famille royale. Ses familles dans un décor naturel sont parmi les tableaux de genre les plus raffinés de l'art anglais. Représentation de son Suffolk natal, ce tableau, peint en 1747, est l'une de ses premières œuvres.

4 Three Ladies Adoring a Term of Hymen

Joshua Reynolds (1723-1792), premier président de la Royal Academy, exécuta des œuvres de grand art ainsi qu'en témoigne ce tableau. Il contribua à élever la peinture britannique à un niveau international.

5 Mare and Foals in a River Landscape

Né à Liverpool et auto-didacte, George Stubbs (1724-1806) s'installa à Londres en 1759 et devint le plus grand peintre de chevaux du pays. Ce tableau est l'une de ses plus belles œuvres.

6 Elohim Creating Adam

Né à Londres et formé à la Royal Academy School, William Blake (1757-1827), poète, mystique, illustrateur et graveur, se disait guidé par des visions. Le tableau *(ci-dessous)* est représentatif de son œuvre, abondamment présente à la Tate Britain.

7 A Scene from the Beggar's Opera

Ce tableau vivant et coloré, signé William Hogarth (1697-1764), évoque un spectacle d'opéra. Ainsi que nombre d'autres œuvres de son auteur, grand satiriste, il constitue un commentaire acéré de la vie londonienne au XVIIIe s.

10 Three Studies for a Figure at the Base of a Crucifixion

Sur le devant de la scène artistique de Soho, Francis Bacon (1910-1992) avait une vision intransigeante de la vie. Depuis sa première exposition, cette série de tableaux, qui causa de vives réactions chez le public choqué par cette imagerie sauvage, est devenue l'une de ses œuvres les plus réputées.

Suivez le guide

La collection permanente du musée occupe les trois quarts de l'étage principal. En partant du coin nord-ouest, on peut effectuer un parcours chronologique du XVIe s. à nos jours. Les pièces sont exposées dans des salles organisées selon des thèmes historiques, au sein desquelles des secteurs particuliers sont consacrés à des artistes majeurs. Dans le quart restant de l'édifice, ainsi que dans les 6 galeries de l'étage inférieur, ont lieu des expositions temporaires relatives à l'art britannique. Quelque 300 toiles et 20 000 aquarelles léguées par J. M. W. Turner sont exposées dans la Clore Gallery voisine. Tous les tableaux sont visibles, tandis que les aquarelles font l'objet d'expositions tournantes.

8 Sancta Lilias

Dante Gabriel Rossetti (1828-1882) fut l'un des fondateurs de la confrérie des préraphaélites, groupe de peintres qui voulurent introduire dans leur art une austérité littéraire et morale en imitant les peintres médiévaux.

9 Pink and Green Sleepers

Henry Moore (1898-1986), l'un des artistes venus du Yorkshire, fut un sculpteur remarquable dont les œuvres figurent dans tout Londres. Le dessin *(ci-dessus)* fut exécuté pendant la Seconde Guerre mondiale.

Les autres galeries de Londres p. 50-51

🔟 Natural History Museum

L'impressionnante collection du musée d'Histoire naturelle contient quelque 70 millions d'objets. Cette institution, qui servit au départ à conserver les spécimens rapportés par Charles Darwin et Joseph Banks, botaniste du capitaine Cook, combine présentations traditionnelles et expositions innovantes. Le Darwin Centre va fournir un espace nouveau permettant d'exposer une plus grande partie de la collection. Véritable lieu de recherche, le musée emploie 300 scientifiques et bibliothécaires.

Entrée principale

🍴 Essayez le restaurant des Life Galleries, les 2 cafétérias ou le snack-bar.

🚶 Parmi les visites guidées proposées, on peut admirer le Wildlife Garden (Jardin de la faune sauvage). Précisions au comptoir d'information des Life Galleries.

- Cromwell Road SW7
- Plan B5
- 020 7942 5000
- www.nhm.ac.uk
- Ouv. lun.-sam. 10h-17h50, dim. 11h-17h50. Ferm. des portes à 17h30 • EG

Les œuvres

1. Tyrannosaurus Rex
2. Earthquake Simulator
3. Journey Through the Globe
4. N°1 Crawley House
5. Figurine de fœtus
6. Water Cycle Video Wall
7. Fossiles
8. L'origine des espèces
9. Pierres précieuses
10. Borehole

1 Tyrannosaurus Rex
Cet animal géant robotisé est la star de la Dinosaur Gallery. Il bouge, rugit et dégage même une odeur. Haut de 4 m et long de 7 m, il ne représente que les trois quarts du monstre préhistorique véritable. À côté, un *Deinonychus* dévore bruyamment un *Tenontosaurus*.

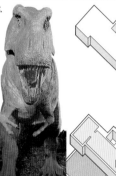

2 Earthquake Simulator
Grâce à ce simulateur de séismes, vous pouvez expérimenter, dans un faux supermarché japonais, le tremblement de terre subi par Kobe en 1995 *(ci-dessous)*.

3 Journey Through the Globe
L'escalator qui mène aux Earth Galleries voyage à travers un globe géant, constitué de fer, de zinc et de cuivre symbolisant la composition de notre planète.

4 N°1 Crawley House
Cette galerie, la plus horrifique de tout le musée, nous montre les 1,3 million d'arthropodes connus, petites bestioles rampantes avec lesquelles nous partageons notre maison.

5 Figurine de fœtus

Dans les Human Biology Galleries, nous percevons les sons que le fœtus entend dans l'utérus. D'autres éléments permettent de tester aptitudes et réactions, tout en montrant comment les caractéristiques physiques se transmettent.

6 Water Cycle Video Wall

Une paroi semi-sphérique dans l'Ecology Gallery illustre le cycle de l'eau et son rôle. La traversée d'une feuille démontre comment les plantes fabriquent l'oxygène.

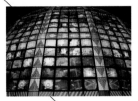

9 Pierres précieuses

L'immense collection de pierres précieuses, de roches et de minéraux du musée comprend la magnifique rhodochrosite rouge des États-Unis. La Earth's Treasury Gallery explique pourquoi le quartz indique le temps et comment le carbone se transforme en diamant.

10 Borehole

Un trou de sonde de 150 m au-dessous du musée révèle son contenu dans les galeries de la Terre, où sont examinés les combustibles fossiles et les sources d'énergie renouvelable.

Légende du plan

▦ Rez-de-chaussée

▦ 1ᵉʳ étage

▦ 2ᵉ étage

Suivez le guide

Le musée se divise en 2 parties : les Life Galleries, consacrées à l'évolution et contenant la Dinosaur Gallery, et les Earth Galleries, dédiées aux richesses géologiques. L'entrée principale, qui mène au hall central orné d'un escalier majestueux et d'animaux en terre cuite sculptés, conduit aux 4 niveaux des Life Galleries. Les Earth Galleries, qui occupent l'ancien musée du Geological Museum, peuvent être atteintes soit par l'entrée principale, soit par une entrée séparée sur Exhibition Road.

7 Fossiles

Reptiles marins de l'ère des dinosaures ont survécu sous forme de magnifiques fossiles, telle la femelle *Ichthyosaure* gestante, découverte dans un jardin du Dorset, qui vécut il y a plus de 178 millions d'années.

8 L'origine des espèces

Ce tatou, découvert par Charles Darwin (1809-1892) en 1833, fait partie de l'illustration pas à pas de sa théorie de la sélection naturelle. On admire également des dessins et des peintures du savant.

Les autres musées de Londres p. 48-49

📖10 Science Museum

Proposant une foule d'expériences interactives, ce musée explore le monde fascinant de la science au long des siècles de développement des connaissances et des techniques. Il illustre l'inventivité britannique de la révolution industrielle grâce aux métiers à tisser et moteurs à vapeur. Navigation, débuts de l'aviation, technologies de pointe de l'âge de l'espace s'y déploient, ainsi que l'histoire de la médecine, dans l'univers high-tech de la Wellcome Wing.

3 Apollo 10 Command Module

Le module, qui fit le tour de la Lune en mai 1969, est exposé avec une reproduction de la capsule d'alunissage Apollo 11. Buzz Aldrin et Neil Armstrong mirent le pied sur la Lune en juillet 1969.

Façade du Science Museum

🍴 Restaurant, plusieurs cafétérias et aire de pique-nique où l'on peut apporter sa nourriture.

🔵 Dans tout le musée, des bornes interactives donnent des informations sur ce qui est exposé.

La librairie offre une sélection de cadeaux originaux.

- Exhibition Road SW7
- Plan B5
- 020 7942 4455
- www.science museum.org.uk
- Ouv. t.l.j. 10h-18h
- EG (voyages virtuels et projections IMAX payants)

Les œuvres

1. Virtual Voyages
2. The Secret Life of the Home
3. Apollo 10 Command Module
4. Harle Sykes Red Mill Engine
5. Puffing Billy
6. Babbage's Difference Engine
7. Dish of E-coli
8. On Air
9. Flight Lab
10. Digitopilis

1 Virtual Voyages

Ces histoires de 20 min inspirées par la science et remplies d'effets spéciaux se déroulent dans un environnement multi-sensoriel. Une salle IMAX permet de regarder des films en 3D.

2 The Secret Life of the Home

Cette galerie contient toute une variété de gadgets et d'objets farfelus pour la maison, des machines à laver aux alarmes.

4 Harle Sykes Red Mill Engine

Le moteur à vapeur immaculé *(ci-dessus)* est parfois activé. C'est l'une des pièces exposées dans la Power and Space Gallery, côté est, qui abrite l'un des moteurs à vapeur rotatifs originaux de James Watt (1788).

5 Puffing Billy

Fabriquée sur Tyneside en 1813, la plus ancienne locomotive à vapeur subsistante *(ci-contre)* était utilisée pour le transport du charbon. On trouve aussi *Rocket*, de George Stephenson (1829), premier engin locomoteur à tirer des wagons de passagers.

6 Babbage's Difference Engine

Les galeries d'informatique et de mathématiques, au 2ᵉ étage, exhibent une maquette du *Difference Engine n°2*, ancêtre de l'ordinateur moderne, conçu par Charles Babbage (1791-1871).

9 Flight Lab

Ce laboratoire de vol *(ci-dessous)* propose maquettes et jeux interactifs. Parmi les appareils exposés, citons le *Gipsy Moth* (1930) d'Amy Johnson et le premier jet britannique.

10 Digitopilis

Galerie futuriste de la Wellcome Wing, consacrée au son et à l'image numérisés ainsi qu'à l'intelligence artificielle. On y explique l'utilisation du réseau numérique dans la vie quotidienne.

7 Dish of E. coli

Health Matters présente SIDA, cancer et maladies cardiaques du point de vue des patients, des médecins et de praticiens de médecines alternatives. Penchez-vous sur la bactérie *E. coli*.

8 On Air

Au 3ᵉ étage, un studio abrite l'équipement nécessaire aux émissions *(ci-contre)*. Les plus de 12 ans peuvent compiler un mélange de sons et les reproduire.

Légende du plan

▦	Sous-sol
▦	Rez-de-chaussée
▦	1ᵉʳ étage
▦	2ᵉ étage
▦	3ᵉ étage
	4ᵉ étage
▦	5ᵉ étage
▦	Wellcome Wing

Suivez le guide

Les grosses machines électriques et spatiales se trouvent au rez-de-chaussée. Télécommunications, temps, agriculture et climat sont traités au 1ᵉʳ étage. Chimie, physique nucléaire et informatique occupent le 2ᵉ étage, tandis que chaleur, optique, santé et lumière règnent au 3ᵉ étage. Les 4ᵉ et 5ᵉ étages exposent l'histoire de la médecine. À l'extrémité ouest de l'édifice se trouve la Wellcome Wing de 4 étages.

Les autres musées de Londres p. 48-49

TOP 10 Buckingham Palace

Résidence la plus célèbre de Londres, Buckingham Palace, demeure citadine du premier duc de Buckingham, fut érigée en 1705. Entre 1824 et 1830, George IV chargea John Nash d'étendre l'édifice pour le transformer en un véritable palais. La reine Victoria, qui s'y installa en 1837, en fut la première occupante. En 1913, la longue façade fut parachevée par Sir Aston Webb. Dans ce monument, qui constitue actuellement la demeure de la reine Elizabeth II, certaines des salles d'apparat sont ouvertes au public durant l'été, à l'instar de nombre de parcs et de jardins de la capitale (p. 28-29).

Serrure décorative sur les portes du palais

À ne pas manquer

1 La relève de la Garde
2 The Balcony
3 Queen's Gallery
4 Grand Staircase
5 Throne Room
6 Picture Gallery
7 State Ballroom
8 Royal Mews
9 Palace Garden
10 Brougham

Monument de Victoria

🟢 Planifiez votre visite afin qu'elle coïncide avec la relève de la Garde *(voir plus bas).*

• Buckingham Palace SW1
• Plan J6
• 020 7321 2233
• www.royal.gov.uk
• State Apartments : ouv. août-sept., t.l.j. 9h30-16h30. Entrée : adultes £11 ; plus de 60 ans £9 ; moins de 17 ans £5,50 ; moins de 5 ans EG
Royal Mews : ouv. mars-oct., t.l.j. 11h-16h. Ferm. des portes à 15h15 Entrée : adultes £4,60 ; plus de 60 ans £3,60 ; moins de 17 ans £2,60 ; moins de 5 ans EG
• Queen's Gallery : ouv. 10h-17h30. Ferm. des portes à 16h30

1 La relève de la Garde

La relève des Gardes aux tuniques rouges et aux bonnets de fourrure s'effectue le matin à 11h (à 10h le dimanche et tous les 2 jours en hiver). Partant des Wellington Barracks toutes proches, ils marchent jusqu'au palais.

2 The Balcony

Lors d'occasions spéciales, la reine et d'autres membres de sa famille font une apparition sur le balcon pour saluer la foule assemblée au-dessous.

3 Queen's Gallery

Nouvellement restructurée, la galerie de la Reine expose un nombre encore plus grand de chefs-d'œuvre de la collection royale : peintures de Vermeer et de Vinci, meubles, porcelaines, bijoux et livres.

4 Grand Staircase
L'entrée principale du palais conduit au grand hall, d'où le somptueux escalier aux balustrades dorées s'élève jusqu'au 1er étage, vers les salles d'apparat.

5 Throne Room
Abritant les trônes utilisés par la reine Elizabeth et le prince Philip pour le couronnement, cette salle d'apparat au plafond ornementé, conçue par John Nash, se pare de lustres magnifiques.

6 Picture Gallery
La plus grande salle du palais possède un plafond de verre aux voûtes en berceau et contient des peintures de la collection royale, dont des œuvres de Rembrandt *(ci-dessus)*, Rubens et Van Dyck.

7 State Ballroom
Elle abrite les banquets en l'honneur des chefs d'État étrangers. L'événement le plus somptueux a lieu en novembre. Les membres du corps diplomatique arrivent en tenue officielle.

8 Royal Mews
Ces écuries royales, les plus belles du royaume, abritent 34 chevaux dont les Windsor Greys, qui tirent le carrosse royal lors des cérémonies officielles. La collection de carrosses, de landaus et d'équipages s'orne du magnifique State Coach d'or, fabriqué en 1760.

10 Brougham
Chaque jour, un brougham tiré par des chevaux, se met en route pour prendre les colis royaux (tels que le spécimen hebdomadaire de *Country Life*) ou pour en délivrer.

9 Palace Garden
Le jardin du palais contient un lac de presque 2 ha, habité par des flamants. Quatre garden-parties royales s'y tiennent chaque année, rassemblant 9 000 invités *(ci-dessous)*.

La vie du palais
Les activités officielles de la monarchie se déroulent dans le palais, qui emploie environ 300 personnes. Le duc d'Édimbourg, le duc d'York, le prince Edward et la princesse Anne y possèdent un bureau. Le membre de la Maison royale au rang le plus élevé est le Lord Chamberlain. Le maître de la Maison, aidé de 200 employés, organise chaque année nombre de cérémonies, telles que les 22 investitures de lauréats de prix distribués par la reine.

Les autres sites royaux de Londres p. 54-55

🔟 Parcs et jardins royaux

Buckingham Palace, qui surplombe deux parcs royaux, St James's Park et Green Park, ne se trouve qu'à quelques pas de Hyde Park et de Kensington Gardens. À l'instar des autres espaces verts de Londres, ces endroits, particulièrement agréables, constituent une oasis de paix pour tous ceux qui habitent, travaillent et se promènent dans la ville. On peut y pratiquer tennis, équitation et canotage, entre autres activités, ou se livrer à l'une des grandes joies de l'été : un pique-nique au son d'un orchestre.

Statue de Peter Pan dans Kensington Gardens

🌀 La plupart des grands parcs abritent des cafétérias en plein air, des restaurants et des marchands de glaces.

Les parcs ouvrent à l'aube et ferment au coucher du soleil (vers 21h30 en été). Acheminez-vous vers la sortie avant la tombée de la nuit.

En été, concerts, festivals et autres événements de plein air se déroulent régulièrement à Hyde Park, Regent's Park et St James's Park.

• *Royal Parks HQ, The Old Police House, Hyde Park, London W2*
• *Plan C4*
• *020 7298 2000*

Les espaces verts

1. Hyde Park
2. St James's Park
3. Kensington Gardens
4. Regent's Park
5. Green Park
6. Greenwich Park
7. Richmond Park
8. Primrose Hill
9. Bushy Park
10. Grosvenor Square

1 Hyde Park
Dans cet immense parc *(ci-dessus et p. 74)*, le lac, le Serpentine, est très apprécié. On peut s'y baigner et louer des barques. Des chevaux de location permettent de se promener. À Speaker's Corner, près de Marble Arch, vous pouvez monter sur une tribune improvisée et vous adresser à la foule des badauds.

2 St James's Park
Le parc le plus élégant de Londres *(ci-dessous)* fut tracé au XVIIIᵉ s. par Capability Brown. Son lac accueille plus de 40 variétés de gibier d'eau. Doté d'une jolie cafétéria et d'un kiosque à musique, il s'anime, en été, de concerts à l'heure du déjeuner *(p. 112)*.

3 Kensington Gardens
Prolongement de Hyde Park, Kensington Gardens *(ci-dessous)* fut ouvert au public en 1841. Le Princess Diana Memorial Gardens, récemment inauguré, rencontre un vif succès auprès des enfants.

Les autres sites royaux de Londres p. 54-55

Regent's Park
4 Entouré par les *terraces* Régence de John Nash, Regent's Park abrite un théâtre en plein air et le zoo de Londres. L'odorante roseraie de Queen's Mary Gardens est un régal *(ci-dessus et p. 129)*.

Greenwich Park
6 Le méridien de 0° de longitude traverse l'Old Royal Observatory de Greenwich, sur une colline de ce parc. On y admire de beaux panoramas sur l'Old Royal Naval College *(ci-dessous)*, la Tamise et Londres *(p. 147)*.

Bushy Park
9 Visitez ce parc, voisin de Hampton Court, lors du Chestnut Sunday (dimanche des Châtaigniers), au mois de mai, lorsque les arbres sont en fleurs. Ce lieu est toutefois très surveillé par la police des parcs, des gardes-chasse et des gardiens.

Richmond Park
7 S'étendant sur presque 1 ha, c'est le plus grand parc royal. Des troupeaux de chevreuils et de daims y sont en liberté. À la fin du printemps, l'Isabella Plantation est une explosion de rhododendrons. Le Royal Ballet réside dans la White Lodge, construite à l'origine pour George II en 1727.

Grosvenor Square
10 Lieu de prédilection de la haute société, du début du XVIIIe s. à la Seconde Guerre mondiale, Grosvenor Square est le seul espace vert propriété de la Couronne. Du côté ouest, se dresse l'imposante ambassade américaine.

Un sport royal
Une partie des terres constituant les parcs londoniens actuels fut soustraite à l'Église par Henry VIII, pendant la Réforme. Passionné de chasse, le roi peupla de cerfs Hyde Park, Green Park et St James's Park ; il chassa aussi dans Greenwich Park, fondé en 1433. À la fin du XVIIe s., ces lieux furent confiés à des artistes paysagers. En 1689, William et Mary ordonnèrent la plantation de Kensington Gardens. Le prince régent et Nash élaborèrent, en 1811, le domaine qui allait devenir Regent's Park.

Green Park
5 Refuge des employés de bureau qui y louent des chaises longues en été, ce petit parc *(ci-dessous)* faisait autrefois partie du domaine de St James's Palace.

Primrose Hill
8 Au nord de Regent's Park, Primrose Hill offre de son point le plus élevé (66 m) des panoramas spectaculaires sur les toits de la ville. Autrefois terrain de prédilection des duellistes, ce petit parc fut sauvé de l'urbanisation en 1841 lorsqu'il fut repris par la Couronne.

Pages suivantes **Vue sur les Houses of Parliament, de Trafalgar Square**

🔟 Westminster Abbey

Glorieux exemple de l'architecture médiévale monumentale, cette abbaye bénédictine se dresse au sud de Parliament Square (p. 34-35). Fondée au xiᵉ s. par Edward the Confessor, elle survécut à la Réforme et servit ensuite de cadre aux cérémonies royales. Le couronnement d'Elizabeth s'y déroula, en 1953, ainsi que le service funèbre de la princesse Diana, en 1997. Rois, hommes d'État, poètes et écrivains y sont inhumés et honorés.

Poet's Corner
3 Dans le transept, un hommage est rendu à nombre de géants de la littérature, dont Shakespeare et Dickens.

Nef de l'abbaye

🎵 **Le chœur chante durant les offices les jours de semaine à 17h, le samedi à 15h et lors des 3 offices du dimanche.**

Récitals d'orgue gratuits le dimanche à 17h45.

Vi. gui. et location d'audioguides.

- *Broad Sanctuary SW1*
- *Plan L6*
- *020 7222 5152*
- *www.westminster-abbey.org*
- *Abbaye : ouv. lun.-ven. 9h30-15h45, sam. 9h20-13h45. Fer. dim. Musée et Pyx Chamber : ouv. t.l.j. 10h30-16h. Chapter House : ouv. oct.-mars, t.l.j. 10h-16h ; avr.-août, t.l.j. 9h30-17h ; sept. t.l.j. 10h-17h*
- *Entrée : adultes £6 ; tarif réduit £3 ; moins de 11 ans EG*

Les sites

1. St Edward's Chapel
2. Nef
3. Poet's Corner
4. Lady Chapel
5. Coronation Chair
6. Tomb of Elizabeth I
7. Chœur
8. Tombe du soldat inconnu
9. Chapter House
10. Cloîtres

St Edward's Chapel
1 Le tombeau d'Edward the Confessor (1003-1066), dernier roi anglo-saxon, se trouve au cœur de l'édifice. Le souverain construisit le premier palais royal à Westminster et fonda l'abbaye actuelle.

Lady Chapel
4 Cette extension de l'église s'orne d'une voûte en éventail surmontant la nef, illustration du style perpendiculaire tardif *(ci-dessus)*. Construit pour Henry VII (1457-1509), l'édifice, qui comprend 2 ailes latérales et 5 petites chapelles, abrite l'Order of the Bath *(p. 36)*.

Nef
2 De 32 m de haut, c'est la nef la plus haute d'Angleterre. Érigée par Henry Yevele, grand architecte du xivᵉ s., elle est soutenue par des arcs-boutants.

5 Coronation Chair

Cette chaise toute simple fut fabriquée en 1300 pour Edward I. Lors des couronnements, elle était placée devant le haut retable, sur le sol de mosaïque du XIIIe s.

Plan de l'abbaye

6 Tomb of Elizabeth I

La grande reine protestante (1553-1603) est inhumée d'un côté de la Lady Chapel ; de l'autre, repose sa rivale catholique, Marie Stuart (décapitée en 1587). Une inscription de l'époque déplore l'intolérance religieuse suscitée par leur rivalité.

7 Chœur

La maîtrise entièrement masculine de Westminster Abbey, seule école anglaise de ce genre, forme le chœur qui se produit dans l'église tous les jours. L'orgue, installé en 1937, fut utilisé pour la première fois lors du couronnement de George VI.

10 Cloîtres

L'ancien monastère bénédictin abrite aujourd'hui un centre de décalquage sur cuivre. Du côté nord, s'étendent les seuls vestiges de l'église romane, les Pyx Chambers (ancienne sacristie) et la crypte qui contient un musée.

8 Tombe du soldat inconnu

La dernière personne inhumée dans l'abbaye fut un soldat inconnu de la Première Guerre mondiale. Il représente tous les morts à la guerre.

9 Chapter House

Dans cet édifice octogonal, au sol de faïence du XIIIe s. (ci-dessus et ci-contre), se rassemblaient les moines. La Chambre des Communes y siégea de 1257 à 1542. Géré par le patrimoine anglais, il possède une entrée dans Dean's Yard.

Histoire de l'abbaye

St Duncan (909-988) établit un monastère bénédictin sur ce qui était alors l'île marécageuse de Thorney. Le roi Edward the Confessor maintint cette institution et fonda en 1065 l'église actuelle où, l'année suivante, fut couronné William the Conqueror. Henry Yevele, architecte de Henry III, agrandit l'édifice en 1376, érigeant la vaste nef. Le côté est de l'église fut étendu par Henry VII qui fit construire la Lady Chapel. Enfin, de 1734 à 1735, les tours jumelles de la façade ouest furent achevées par Nicholas Hawksmoor.

Les autres lieux de culte de Londres p. 46-47

⑩ Parliament Square

Le palais de Westminster, cœur spirituel et politique de la ville, fut érigé il y a 1 000 ans pour servir de résidence royale, de siège du gouvernement et d'abbaye. La place fut conçue lors du programme de reconstruction consécutif à l'incendie qui détruisit le palais en 1834. Habituellement désigné sous le nom de Houses of Parliament, le nouvel édifice s'élève en face de Westminster Abbey. Du côté nord de la place, Parliament Street mène à Whitehall et au n°10 Downing Street, demeure du Premier ministre.

Détail d'une fenêtre du Central Hall

🍴 **La cafétéria du Central Hall sert des en-cas agréables.**

🎯 **Afin d'éviter la file d'attente pour les Strangers' Galleries, allez-y lun.-jeu. après 18h.**

- Parliament Sq SW1
- Plan M6
- www.parliament.uk
- Les Strangers' Galleries des 2 chambres parlementaires ont un nombre de places limité pour assister aux débats. Horaires indiqués devant St Stephens Gate ou par tél. 020 7219 4272
- Des vi. gui. peuvent être organisées (visiteurs étrangers, tél. : 020 7219 4750)

Les sites

1. Westminster Abbey
2. Houses of Parliament
3. Big Ben
4. Westminster Hall
5. St Margaret's Church
6. Winston Churchill Statue
7. Central Hall
8. Dean's Yard
9. Jewel Tower
10. Statue of Oliver Cromwell

① Westminster Abbey
p. 32-33

③ Big Ben
L'imposant clocher du palais de Westminster est désigné sous le nom de Big Ben. Il se réfère à l'une des cloches, pesant 14 tonnes et baptisée en l'honneur de Sir Benjamin Hall, haut fonctionnaire qui présida à son installation.

④ Westminster Hall
Westminster Hall *(ci-contre)* est le seul vestige de l'ancien palais détruit par le feu en 1834. Pendant des siècles, la haute cour siégea sous sa magnifique charpente de chêne.

② Houses of Parliament
Édifices de style néogothique érigés par Sir Charles Barry et Augustus Welby Pugin en 1870, s'étendant sur plus de 3 ha et abritant 1 100 pièces, réparties autour de 11 cours. Les membres du Parlement siègent à la Common Chamber (Chambre des communes, *ci-contre*).

Plan de la place

7 Central Hall

Cette salle de réunion, de style néoclassique, fut construite grâce à une collecte au sein de l'église méthodiste qui désirait célébrer le centenaire de son fondateur, John Wesley (1703-1791).

8 Dean's Yard

Les bâtiments qui entourent cette place isolée furent utilisés par les moines avant la dissolution des monastères, vers 1530, qui entraîna la fermeture de leur école. La nouvelle Westminster School, fondée par Elizabeth I en 1560, reste l'un des meilleurs collèges de Grande-Bretagne.

9 Jewel Tower

Construite en 1336 pour abriter le trésor d'Edward III, cette tour a survécu à l'incendie de 1834. Un petit musée y retrace l'histoire du parlement.

10 Statue of Oliver Cromwell

Oliver Cromwell (1599-1658) présida la seule république d'Angleterre, instaurée après la guerre civile. Lorsque la monarchie fut restaurée, en 1660, sa dépouille, d'abord inhumée à Westminster Abbey, fut transportée à Tyburn et pendue, comme celle d'un criminel.

5 St Margaret's Church

Winston Churchill se maria dans cette église du XVe s. William Caxton (1422-1491), créateur de la première presse typographique d'Angleterre, et Sir Henry Raleigh, fondateur de la première colonie britannique aux États-Unis, y sont inhumés, non loin d'un mémorial de Charles I.

6 Winston Churchill Statue

Cette impressionnante effigie du leader politique

de la Grande-Bretagne durant la Seconde Guerre mondiale (1874-1965), vêtu de son célèbre pardessus, avoisine les statues de Benjamin Disraeli (1804-1881), d'Abraham Lincoln (1809-1865) et d'autres soldats et hommes d'État.

Le Parlement

Les 659 membres élus du Parlement siègent à la Chambre des communes, où le Premier ministre et son gouvernement s'installent à la droite du Speaker, qui veille à l'application des règles. L'opposition siège à gauche. La Chambre des lords voisine, qui comporte plus de 1 000 membres à titre héréditaire, pairs du royaume, a des pouvoirs limités. Chaque semaine, le Premier ministre est reçu par la reine, dont le rôle est aujourd'hui purement symbolique.

Tower of London

Évoquant essentiellement une prison, la Tour de Londres s'enorgueillit pourtant d'un passé plus glorieux. Ancien fort entouré de douves, la White Tower fut construite pour William I (Guillaume le Conquérant) vers 1080. Agrandi par des monarques ultérieurs – dont Henry VIII qui envoya deux de ses épouses à la mort dans la Tower Green – l'édifice abrita l'arsenal de la ville, les joyaux de la Couronne, une ménagerie et la Monnaie (Royal Mint).

Yeoman Warders
3 Quelque 40 Yeoman Warders gardent la Tour. Anciens officiers militaires ayant reçu une médaille de bonne conduite, ils vivent dans la Tour et portent des uniformes datant de l'époque des Tudors.

Royal Fusiliers' Museum

🍴 **Agréable cafétéria et restaurant.**

⏱ **Prévoyez 2h pour la visite.**

• Tower Hill EC2
• Plan H4
• 020 7709 0765
• Ouv. mars-oct., lun.-sam. 9h-17h, dim. 10h-17h ; nov.-fév., mar.-sam. 9h-17h, dim. et lun. 10h-17h
• Entrée : adultes £11,30 ; enfants 5-15 ans £2,50 (moins de 5 ans EG) ; billets familiaux (5 pers.) £34 ; tarif réduit £8,50

Les chefs-d'œuvre

1. The White Tower
2. Imperial State Crown
3. Yeoman Warders
4. Le trône de Henry III
5. Chapel of St John the Evangelist
6. Corbeaux
7. Royal Armouries
8. Tower Green
9. Traitors' Gate
10. Lion Tower

The White Tower
1 Au cœur de la forteresse se dresse un donjon de 30 m de haut, aux murs de 5 m d'épaisseur, la « tour Blanche ». En 1240, l'extérieur comme l'intérieur furent blanchis à la chaux, ce qui lui valut son nom.

Imperial State Crown
2 Parmi les 12 couronnes exposées, c'est la plus éblouissante. Ornée de 2 800 diamants et surmontée d'un saphir remontant à Edward the Confessor, qui régna de 1042 à 1066, elle fut élaborée pour le couronnement de George VI, en 1937.

Le trône de Henry III
4 De riches ornementations de la Tower et de ses chapelles sont dues à Henry III, qui régna de 1216 à 1272. On peut admirer sa chambre privée et son trône dans la Wakefield Tower.

Chapel of St John the Evangelist
5 Ce joyau de l'art roman *(ci-contre, à gauche)*, qui a conservé son aspect d'origine, se trouve en haut de la White Tower. En 1399, lors de la préparation du couronnement de Henry IV, 40 nobles chevaliers y effectuèrent une veille. Ils prirent ensuite un bain purifiant dans une pièce voisine et furent reçus chevaliers de l'ordre du Bain (Order of the Bath).

Corbeaux
6 Lorsque les corneilles quitteront la Tour de Londres, celle-ci s'écroulera, dit-on. L'édifice abrite 8 oiseaux, sous la responsabilité d'un « maître ».

Royal Armouries
7 L'arsenal de la Tour fut considérablement développé par Henry VIII, qui fonda cette importante collection nationale, aujourd'hui partagée avec un musée de Leeds.

Plan de la Tour

Lion Tower
10 Depuis le règne de Henry III jusqu'en 1835, date à laquelle ils furent transférés au nouveau zoo de Londres *(p. 129)*, les animaux sauvages offerts aux monarques étaient gardés dans une ménagerie, où le trésor et les joyaux de la Couronne furent autrefois conservés, protégés par les fauves.

Un peu d'histoire

La White Tower de William I, érigée par Gundolph, évêque de Rochester, était destinée à défendre Londres contre les attaques et à illustrer le pouvoir des conquérants normands aux yeux des Anglo-Saxons. Henry III (de 1216 à 1272) construisit l'enceinte intérieure, ornée de 13 tours, et y transféra les joyaux de la Couronne. L'arsenal de la ville y fut installé et développé sous le règne de Henry VIII (de 1509 à 1547). James I, qui régna de 1603 à 1625, fut le dernier monarque à résider dans la forteresse. Toutes les pièces de Grande-Bretagne furent frappées dans la Tour jusqu'à 1810, date à laquelle l'Hôtel royal de la monnaie fut établi sur Tower Hill.

Tower Green
8 Lieu d'exécution des membres de la noblesse, dont Lady Jane Grey (1554) et les deux épouses d'Henry VIII.

Traitors' Gate
9 La vanne de chêne et de fer *(ci-dessus),* qui servait à introduire les prisonniers dans la tour, fut baptisée « porte des traîtres ».

Les autres sites royaux de Londres p. 54-55

Gauche **Bell Tower** Centre **Appartement de la Bloody Tower** Droite **Beauchamp Tower**

TOP 10 Prisonniers célèbres

1 L'évêque de Durham
Le premier prisonnier politique de la White Tower fut Ralph de Flambard, évêque de Durham, emprisonné par Henry I, en 1100, qui le considérait comme responsable de la politique impopulaire de son prédécesseur, William II.

2 Henry VI
Pendant la guerre des Deux-Roses, qui opposa les familles York et Lancaster, Henry VI fut enfermé 5 ans durant, jusqu'à son retour au pouvoir, en 1470.

3 Les petits princes
L'assassinat de Edward, 12 ans, et Richard, 10 ans, probablement dû à leur oncle Richard III, donna son nom à la Bloody Tower.

4 Sir Thomas More
Le chancelier d'Henry VIII, refusant d'approuver le mariage du roi avec Anne Boleyn, fut emprisonné dans la Bell Tower, avant d'être décapité.

Chapelle de St Peter ad Vincula

5 Les épouses d'Henry VIII
Quelques-unes des célèbres victimes de la Tour, telles qu'Anne Boleyn et Katharine Howard, furent inhumées dans la chapelle royale de St Peter ad Vincula.

Sites d'emprison-nement

6 La famille Dudley
Lord Dudley et ses 4 frères furent emprisonnés dans la Beauchamp Tower, avant leur exécution, pour avoir soutenu Lady Jane Grey, prétendante au trône en 1554.

7 Lady Jane Grey
En 1554, elle régna pendant 9 jours. Âgée de 17 ans, elle fut détenue dans la maison du geôlier, avant d'être exécutée sur ordre de la reine Mary I.

8 Les martyrs catholiques
Sous le règne d'Elizabeth I (1558-1603), nombre de catholiques détenus dans la Salt Tower, furent exécutés.

9 John Gerard
En 1597, il s'échappa, avec un compagnon, de la Cradle Tower, utilisant une corde tendue au-dessus de la douve.

10 Rudolf Hess
Dernier prisonnier de la Tour, il vint en Angleterre pour obtenir une alliance, mais fut incarcéré dans la Queen's House, en 1941.

Les joyaux

1. Couronne de cérémonie
2. Couronne de St Edward
3. Couronne des Indes
4. Couronne de Victoria
5. Sceptre royal
6. Épée de cérémonie
7. Couronne de George V
8. Anneau de la reine
9. Globe de la reine
10. Sceptre de la reine

Les joyaux de la Couronne

Les ornements constellés de pierreries de la tenue de cérémonie d'Elizabeth II sont tous gardés dans la Tour de Londres. La collection fut reconstituée en 1661, à la suite de la destruction des bijoux royaux par le Parlement, après l'exécution de Charles I en 1649. Parmi les 12 couronnes exposées, celle de St Edward, en or massif, est la plus ancienne. Citons, parmi les autres joyaux, le globe d'or incrusté de pierreries (1661) et un sceptre surmonté du plus gros diamant du monde, l'Étoile d'Afrique, de 530 carats. On baptise parfois l'Anneau de la reine, fabriqué pour William IV, « l'alliance de l'Angleterre ».

Sceptre de la reine

Couronne impériale de cérémonie
Incrustée de 2 868 diamants, 17 saphirs, 11 émeraudes, 5 rubis et 273 perles, cette couronne fut élaborée pour le sacre de George VI, en 1937.

Elizabeth II, portant la couronne impériale de cérémonie lors de son couronnement, le 2 juin 1953

TOP 10 St Paul's Cathedral

St Paul's est le chef-d'œuvre absolu de Sir Christopher Wren, qui reconstruisit les églises de la City après le grave incendie de 1666. Terminé en 1708, ce lieu de culte, première cathédrale bâtie par les protestants d'Angleterre, présente de nombreux points communs avec Saint-Pierre de Rome, en particulier l'immense dôme ornementé. L'édifice abrite la plus grosse cloche d'Europe, Great Paul, qui sonne chaque jour à 13 h. Great Tom, qui ponctue les heures, retentit également lors du décès des membres de la royauté ou de l'Église. Réputée pour sa musique, l'église recrute ses choristes auprès de la St Paul's Cathedral School.

Porche sud semi-circulaire de St Paul's

🥣 Soupe et en-cas dans la cafétéria de la crypte.

🕑 L'office religieux le plus apprécié est celui des vêpres (t.l.j. à 17h), car on y entend le chœur.

Vi. gui. et audioguides.

• St Paul's Cathedral, Ludgate Hill EC4
• Plan R2
• 020 7236 4128
• www.stpauls.co.uk
• Ouv. lun.-sam. 9h30-16h
• Entrée : adultes £5 ; enfants de 6 à 16 ans £2,50 (moins de 6 ans EG) ; tarif réduit £4 ; tarif de groupe, tél. pour précisions
• Vi. gui. 11h, 11h30, 13h30, 14h (tarif, tél. pour précisions)

Les chefs-d'œuvre

1 West Front and Towers
2 Dôme
3 Whispering Gallery
4 Quire
5 OBE Chapel
6 High Altar
7 Jubilee Cope
8 Tijou Gates
9 Mosaics
10 Treasury

4 Quire
Grindling Gibbons réalisa les superbes stalles et le coffre de l'orgue. Haendel et Mendelssohn jouèrent sur cet instrument, construit en 1695.

2 Dôme
L'un des plus vastes dômes du monde *(ci-dessus)*, il mesure 110 m de haut et pèse 65 000 tonnes. Ses Golden Gallery et Stone Gallery offrent des vues magnifiques.

1 West Front and Towers
La façade ouest est dominée par 2 tours ornées, au sommet, d'un ananas sculpté, symbole de paix et de prospérité. Son portail, haut de 9 m, n'est utilisé que pour les cérémonies officielles.

3 Whispering Gallery
Le dôme abrite la galerie des Murmures. Des mots prononcés très bas contre le mur sont audibles du côté opposé.

OBE Chapel
5 Du côté est de la crypte, se trouve une chapelle consacrée aux personnes décorées de l'*Order of the British Empire*, premier honneur militaire et civil ouvert aux femmes, institué en 1917.

High Altar
6 Le magnifique autel en marbre d'Italie *(ci-dessous)* ainsi que le dais sont inspirés d'un dessin de Wren. La paire de chandeliers est une copie d'objets du XVIᵉ s. réalisés pour le cardinal Wolsey.

Jubilee Cope
7 Cette somptueuse chape fut exécutée par Beryl Dean en 1977 pour le jubilé d'argent d'Elizabeth II. Sur ce vêtement d'organza, brodé d'or et de soie, sont représentées St Paul's et 71 autres églises de Londres.

Tijou Gates
8 Jean Tijou, maître français du travail du métal, conçut les portes de fer forgé ornementées de la North Quire Aisle *(détail ci-dessus)*, ainsi que la balustrade de la Whispering Gallery.

Mosaics
9 Les voûtes de mosaïque colorées, élaborées au XIXᵉ s. dans le Quire et l'Ambulatory (déambulatoire, *ci-dessus*), sont constituées de morceaux de verre irréguliers scintillants.

Plan de la cathédrale

Treasury
10 En 1810, un cambriolage priva St Paul's d'une grande partie de ses objets précieux. Les pièces exposées au « Trésor » (dans la crypte), provenant d'autres églises, jouxtent des maquettes de la cathédrale et des dessins de Wren.

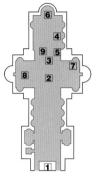

Dates clefs

La première église connue dédiée à saint Paul fut érigée en bois sur ce site, en l'an 604. Elle brûla en 675 et l'édifice qui la remplaça fut détruit par les envahisseurs vikings, en 962. Le 3ᵉ bâtiment, qui fut dressé en pierre, subit aussi un incendie, en 1087, puis fut reconstruit sous forme d'une cathédrale par les Normands, qui surmontèrent les murs de pierre d'un toit de bois, achevé en 1300. En 1666, les plans de restauration proposés par Christopher Wren venaient d'être acceptés, lorsque le Grand Incendie de Londres réduisit la cathédrale à néant.

Les autres lieux de culte de Londres **p. 46-47**

Gauche **Perspective de la nef** Droite **Lord Nelson Memorial**

🕙 Tombes et mémoriaux

1 Tomb of Christopher Wren
Sur la sobre tombe de Sir Christopher Wren (1632-1723), architecte de St Paul's, on lit : « *lector, si monumentum requiris, circumspice* » (lecteur, si tu cherches son monument, regarde autour de toi).

2 Wellington's Tomb
Chef militaire et Premier ministre, Arthur Wellesly, premier duc de Wellington (1769-1852), repose dans la crypte.

3 Nelson's Tomb
Conservée dans du brandy et ramenée de Trafalgar, la dépouille de l'amiral Lord Nelson (1758-1805), héros maritime, fut déposée au centre de la crypte.

4 John Donne's Memorial
Ce poète métaphysique (1572-1631), dont la tombe se trouve dans la South Quire Aisle, devint doyen de St Paul's en 1621.

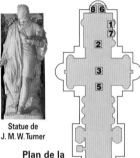

Statue de
J. M. W. Turner

Plan de la crypte

American Memorial, détail

5 Gallipoli Memorial
Ce monument aux morts de la cathédrale est dédié à ceux qui périrent durant la campagne de Gallipoli, en 1915.

6 William Howard Russell Memorial
Russell (1821-1907) est l'un des nombreux correspondants de guerre honorés dans l'OBE Chapel.

7 The Worshipful Company of Stonemasons Memorial
Sur une plaque de cette guilde, on lit : « souviens-toi des hommes qui donnèrent forme aux pierres de St Paul's Cathedral ».

8 Turner's Tomb
J. M. W. Turner (1775-1851), grand peintre de paysages, est inhumé dans l'OBE Chapel.

9 American Memorial
Derrière le High Altar, figure la liste des combattants américains morts en Grande-Bretagne durant la Seconde Guerre mondiale.

10 Fire-Watchers Memorial
Dans la nef, honneur est rendu à ceux qui sauvèrent l'église du Blitz de 1940.

Les dates clefs

1. Mariage du prince Charles et de lady Diana (1981)
2. Jubilé d'argent d'Elizabeth II (1977)
3. Funérailles de Winston Churchill (1965)
4. Prêche de Martin Luther King (1964)
5. Lancement du Festival of Britain (1961)
6. Bombardement de la cathédrale (1940)
7. Jubilé de diamant de la reine Victoria (1897)
8. Funérailles du duc de Wellington (1852)
9. Funérailles de Nelson (1806)
10. Premier office (1697)

Un peu d'histoire

St Paul's, qui appartient à la nation et à sa capitale, est administrée par un doyen et un chapitre de cinq prêtres, dont l'« Archdeacon », responsable des 30 paroisses de la City. Depuis 1 000 ans s'y déroulent des offices annuels pour les guildes de la City ainsi que les cérémonies nationales. Au XIXᵉ s., 30 000 personnes

Mariage du prince de Galles, 1501

remplirent l'église pour les funérailles du duc de Wellington. Le jubilé spectaculaire de la reine Victoria eut lieu sur les marches de l'édifice. Le prince de Galles et lady Diana Spencer choisirent de s'y marier, plutôt qu'à l'abbaye royale de Westminster, pour montrer qu'ils se considéraient comme les princes du peuple.

Funérailles de Nelson
Nelson jouissait d'une telle popularité que des funérailles en grande pompe lui furent accordées *(ci-contre)*. Sa dépouille remonta la Tamise sur une barge, de Greenwich Hospital à St Paul's.

Mariage du prince Charles et de lady Diana Spencer, 1981

Exécution de Charles I devant la Banqueting House

Londres et l'histoire

1 An 43 : Invasion romaine
Les Romains construisirent un pont sur la Tamise à Southwark et encerclèrent Londinium d'un mur, dont quelques vestiges subsistent dans la City *(p. 134-139)*. Leur forum se trouvait à Cornhill et leur amphithéâtre s'étend sous le Guildhall.

Invasion romaine de la Grande-Bretagne

2 1066 : Conquête normande
La grande invasion suivante fut celle des Normands, menés par Guillaume le Conquérant, duc de Normandie. Ce dernier fut couronné roi le 25 décembre 1066, à Westminster Abbey, tout juste achevée *(p. 32-33)*.

3 1240 : Premier Parlement
Le premier Parlement s'établit à Westminster, se séparant ainsi de la mercantile City qui continuait à se développer sur l'ancien site romain.

4 1534 : La Réforme
En raison de l'opposition du pape Clément VII au divorce de Henry VIII, ce dernier choisit de rompre avec Rome et se déclara chef de l'Église en Angleterre. Aujourd'hui, la reine est toujours à la tête de l'Église anglicane.

5 1649 : Exécution de Charles I
L'absolutisme de Charles I conduisit à la guerre civile. La cause royaliste fut perdue et le roi décapité en 1649. Après 11 ans de puritanisme, son fils, Charles II, revint sur le trône, présidant à la Restauration.

6 1666 : Grand Incendie
Une grande partie de Londres, dont St Paul's et 87 églises, fut détruite par le Great Fire, qui fit rage 5 jours durant. Christopher Wren fut chargé de reconstruire la ville *(p. 40)*.

7 1863 : Premier métro
Le premier métro souterrain du monde fut la Metropolitan Line, conçue pour relier les différentes lignes ferroviaires de Londres. À son ouverture, les trains étaient constitués de wagons à plate-forme.

Le « Great Fire » de Londres

Quartier bombardé près de St Paul's

1875 : Les quais
8 Parmi les grands travaux d'aménagement de l'ère victorienne, les quais *(embankments),* conçus par Sir Joseph Bazalgette, abritaient un vaste système de vidange qui conduisait les déchets jusqu'aux stations de pompage en dehors de Londres.

1940-1941 : Le Blitz
9 De septembre 1940 à mai 1941, les raids aériens allemands tuèrent 30 000 Londoniens. Les bombardiers détruisirent une grande partie des docks, de l'East End et de la City. La House of Commons, Westminster Abbey et la Tower of London furent endommagées. La nuit, on se réfugiait dans le métro.

Réhabilitation des docks
10 Ils furent désertés à partir des années 1960, lorsque les bateaux se mirent à utiliser le port moderne de Tilbury. Vers 1980, une réhabilitation fut entreprise, surtout autour du West India Dock, où fut construit Canary Wharf en 1992. Un nouvel aéroport urbain fut créé sur le site des anciens docks royaux.

Événements culturels

Shakespeare
1 La première mention de l'auteur dramatique londonien remonte à 1585.

Rubens
2 Peintre flamand, il fut fait chevalier par Charles I en 1629, après avoir peint le plafond de la Banqueting House.

Purcell
3 Henry Purcell, le plus grand compositeur anglais de son temps, fut nommé organiste de Westminster Abbey en 1679.

Haendel
4 La célèbre *Water Music* de Georg Friedrich Haendel fut composée pour être jouée sur la barge de George I, en 1711.

Great Exhibition
5 En 1851, le puissant Empire britannique fut célébré par une Exposition universelle à Hyde Park, dans une structure de verre.

Turner
6 Les peintures de Turner furent léguées à la nation sous réserve que le public put y avoir accès gratuitement *(p. 20-21).*

Royal Opera
7 En 1892, Gustav Mahler y dirigea la première représentation britannique de *L'Anneau,* de Wagner.

Radio
8 La BBC effectua sa 1ʳᵉ émission le Jour de l'an 1927.

Festival of Britain
9 En 1951, le Festival de Grande-Bretagne se tint sur la South Bank pour fêter le centenaire de l'Exposition universelle.

Royal National Theatre
10 La compagnie fut fondée en 1963 à l'Old Vic. Son directeur, Laurence Olivier, fut anobli.

Gauche **Sculptures, Westminster Abbey** Centre **Brompton Oratory** Droite **Chérubin, St Bride's**

Églises

St Martin-in-the-Fields

1 Westminster Abbey
p. 32-33

2 St Paul's Cathedral
p. 40-43

3 St Martin-in-the-Fields
L'église paroissiale de Buckingham Palace est la seule à posséder une loge royale. Le site est occupé par une église depuis le XIIIᵉ s., mais le bel édifice actuel fut conçu en 1726 par James Gibbs. Cafétéria dans la crypte. ◈ Trafalgar Square WC2 • Plan L4 • Ouv. lun.-sam 8h-18h30, offices dim. seul. • EG

4 Southwark Cathedral
Élevé au rang de cathédrale en 1905, cet édifice évoque le théâtre élisabéthain et celui de Shakespeare, à qui sont consacrés un monument et un vitrail. Harvard Chapel rend hommage à John Harvard, fondateur de l'université américaine, qui fut baptisé à cet endroit. ◈ Montague Close SE1 • Plan G4 • Ouv. lun.-ven. 8h-18h, sam. et dim 9h-17h • EG

Vitrail, Southwark Cathedral

5 Temple Church
Église circulaire construite au XIIᵉ s. pour les Templiers, ornée par la suite d'un chœur et d'un retable de Christopher Wren. Des effigies des chevaliers sont incrustées dans le sol. Très endommagée par le feu durant la Seconde Guerre mondiale, elle fut rebâtie en 1958. ◈ Middle Temple Lane EC4 • Plan P2 • Ouv. mer.-sam. 10h-16h • EG

Corps de garde, St Bartholomew-the-Great

6 St Bartholomew-the-Great
Ayant survécu au Grand Incendie, la seule église romane de Londres, hormis St John's Chapel dans la Tower of London, fut fondée en 1123 par un courtisan de Henry I. Ses solides colonnes et son chœur roman sont restés intacts. La Lady Chapel du XIVᵉ s., restaurée par Sir Aston Webb en 1980, abrita autrefois une presse typographique qu'utilisa Benjamin Franklin (p. 138).

7 Brompton Oratory

Si peu anglaise, cette église de style baroque italien est due à John Henry Newman (1801-1890). Converti au catholicisme, il introduisit en Angleterre l'Oratoire, congrégation fondée à Rome au XVIᵉ s. L'édifice conçu par Herbert Gribble, ouvert en 1884, abrite de nombreux trésors venus d'Italie. ⊗ Brompton Rd SW7 • Plan C5 • Ouv. t.l.j. 6h30-20h • EG

Intérieur italien de Brompton Oratory

8 Westminster Cathedral

La plus vaste église catholique d'Angleterre, de style résolument néo-byzantin, conçue par John Francis Bentley, fut achevée en 1902. Son clocher de 87 m de haut offre du sommet un panorama superbe. Mosaïques et marbres de couleur décorent l'intérieur, orné de la nef la plus large de Grande-Bretagne. ⊗ Ashley Place SW1 • Plan E5 • Ouv. t.l.j. 7h-19h • EG

9 St Bride's

Depuis l'époque romaine, une église se dresse sur ce site, comme en témoignent les fouilles dues à une bombe de la Seconde Guerre mondiale. L'édifice de Christopher Wren s'orne d'une magnifique flèche en gradins, qui inspira un gâteau de mariage, dont la mode fut lancée par Mr Rich, pâtissier de Fleet Street. Dans ce lieu de culte des hommes de presse, se déroulent des offices de souvenir.

10 All Souls

Orné d'un portique semi-circulaire et d'une flèche effilée, cette église fut conçue par John Nash, créateur de Regent's Street. Lorsque la BBC s'installa à côté, elle devint le cadre des émissions religieuses. ⊗ Langham Place W1 • Plan J1 • Ouv. lun.-ven. 9h30-18h, dim 9h-21h • EG

Monument, All Souls

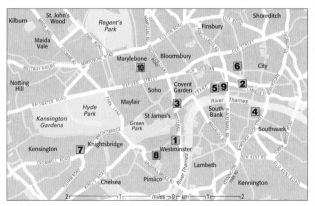

Gauche **Theatre Museum** Droite **London Transport Museum**

⏉10 Musées

Victoria and Albert Museum

1 British Museum
Le plus ancien musée du monde, l'un des plus passionnants de Londres, contient trésors et artefacts en provenance du monde entier *(p. 8-11)*.

2 Natural History Museum
La Terre et les formes de vie y sont expliquées de façon attrayante grâce à des centaines d'objets traditionnels et interactifs *(p. 22-23)*.

3 Science Museum
Des siècles de développement scientifique et technique y sont retracés à travers des expositions éducatives *(p. 24-25)*.

4 Victoria and Albert Museum
Ce musée des arts décoratifs, qui comporte 145 galeries

étonnamment éclectiques, est l'un des lieux les plus plaisants de Londres. On y admire la Dress Collection (galerie des Costumes), qui couvre la période de 1600 à nos jours, ainsi que des bijoux, céramiques, pièces d'orfèvrerie, verreries, peintures, estampes, sculptures et objets orientaux *(p. 119)*.

5 Museum of London
Ce riche musée, situé non loin du Barbican Centre *(p. 137)*, constitue une présentation de la vie londonienne depuis la préhistoire. Accordant une large place à l'époque romaine, il montre une grande maquette recréant le Grand Incendie de 1666. Il subit actuellement une rénovation intensive de 2 ans. (2002-2003, *p. 136*).

6 National Maritime Museum
Dans le plus vaste musée maritime du monde, situé dans une partie du Royal Naval Hospital de Wren, on peut voir, près de la reconstitution de la bataille de Trafalgar (1803), la tunique témoignant de la blessure fatale de l'amiral Nelson. Outre l'évocation des expéditions en Antarctique et la belle collection de bateaux, des simulateurs dernier cri donnent une idée de la navigation moderne et recréent le naufrage du Titanic *(p. 147)*.

National Maritime Museum

7 Imperial War Museum

Il est abrité dans une partie du Bethlehem (« Bedlam ») Hospital, ancien « asile d'aliénés ». Une pendule, dans le sous-sol, compte inexorablement les morts du monde entier à la guerre – qui atteignent déjà 100 millions. Un hommage est rendu à 6 millions d'entre eux dans l'Holocaust Exhibition. Citons aussi une reconstitution des combats dans les tranchées de la Première Guerre mondiale. Un secteur est consacré à la « guerre totale » qui menace l'humanité *(p. 83)*.

8 Design Museum

Dans un bâtiment blanc immaculé des années 1930, ce musée est le seul de Grande-Bretagne consacré au design des XXᵉ et XXIᵉ s. Des expositions temporaires exhibent les trésors de la collection : objets ou créations graphiques, mobilier, architecture, mode et mécanique.
Ⓢ Butler's Wharf SE1
• Plan H4 • Ouv. lun.-ven. 11h30-18h, sam. et dim. 10h30-18h • EG

Imperial War Museum

9 London Transport Museum

Dans un ancien marché aux fleurs lumineux, l'histoire des transports londoniens est illustrée par des affiches, des photographies et des spécimens d'anciens véhicules hippomobiles, autobus et *tubes* (métros). Des « KidZones » offrent des écrans interactifs pour les enfants *(p. 100)*.

10 Theatre Museum

Les galeries souterraines retracent l'histoire du théâtre britannique, de l'époque de Shakespeare à nos jours, grâce à une abondance d'objets, de tableaux et de gravures. Le musée propose des ateliers et des spectacles *(p. 100)*.

Austin Mini, Design Museum

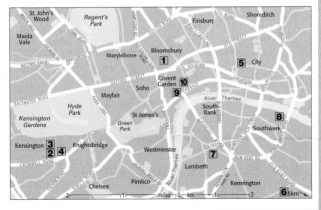

Les musées pour enfants **p. 68-69**

49

Gauche **The National Gallery** Droite *Satan Smiting Job with Sore Boils,* William Blake, Tate Britain

TOP 10 Galeries d'art

1 National Gallery et National Portrait Gallery

Situés côte à côte au sommet de Trafalgar Square, ces vastes édifices abritent l'essentiel des collections de peinture britanniques *(p. 12-15)*.

Au théâtre, Renoir, National Gallery

2 Tate Modern

Abrité dans une ancienne centrale électrique sur la rive sud de la Tamise, ce musée d'art moderne propose des œuvres de 1900 à nos jours *(p. 18-19)*.

3 Tate Britain

Elle se consacre à la peinture de 1500 à nos jours à travers le plus vaste ensemble de tableaux britanniques du monde *(p. 20-21)*.

4 Courtauld Institute Gallery

De Fra Angelico à Van Gogh, cette galerie survole toute l'histoire de la peinture. Elle s'enorgueillit d'un vaste ensemble de tableaux impressionnistes et post-impressionnistes, rassemblés par Samuel Courtauld (1876-1947), roi du textile : *Un bar aux Folies-Bergère* et un petit *Déjeuner sur l'herbe* de Manet, *Jeanne Avril sortant du Moulin-Rouge* de Toulouse-Lautrec et *Te Rerioa* de Gauguin. Visitez la cour de Somerset's House, ornée d'une fontaine, et sa cafétéria *(p. 99)*.

5 Wallace Collection

Cette magnifique demeure victorienne appartenait à Sir Richard Wallace (1818-1890). En 1897, sa veuve légua la maison et l'étonnante collection de tableaux qu'elle abritait à la nation. Les 25 pièces s'étalant sur 2 étages sont superbement meublées avec l'une des plus grandes collections du monde de meubles, de porcelaines et de tableaux, dont *Danse de la vie humaine* de Poussin et *Le Cavalier souriant,* de Frans Hals. À noter les portraits anglais signés Gainsborough et Reynolds *(p. 129)*.

Le Cavalier souriant, Frans Hals, Wallace Collection

Joueuse de guitare, Vermeer, Kenwood House

Academy attire les foules grâce à ses expositions temporaires consacrées à de grands noms. Il est souvent nécessaire d'acheter un billet à l'avance. L'été, la traditionnelle Summer Exhibition connaît un grand succès *(p. 113)*.

9 Queen's Gallery, Buckingham Palace

Élaborée en 1962 pour conserver les œuvres de la collection royale, cette passionnante galerie rénovée expose des tableaux ainsi que d'autres objets d'art *(p. 26)*.

10 Kenwood House

Élégante demeure aristocratique dont l'intérieur s'orne d'une collection réduite et remarquable d'œuvres hollandaises et flamandes du XVIIe s., de portraits anglais du XVIIIe s. et de tableaux français rococo. Les jardins arborent des statues de Henry Moore et de Barbara Hepworth *(p. 142)*.

6 Dulwich Picture Gallery

Cette galerie de banlieue, la plus ancienne de la ville, mérite un court trajet en train. Inaugurée en 1817, elle fut rénovée à l'occasion du Millennium. Ensemble de tableaux comprenant *Jeune fille aux fleurs* de Murillo, *Triomphe de David* de Poussin et *Jeune fille à la fenêtre* de Rembrandt *(p. 148)*.

7 Serpentine Gallery

C'est la galerie des artistes majeurs contemporains, tels que Rachel Whiteread et les jumeaux Wilson dont les créations furent récemment exposées. L'espace peut y être transformé en fonction des œuvres mises en valeur. Il arrive parfois que les installations s'étendent jusqu'au parc, qui devient périodiquement salon de thé extérieur. ⊗ *Kensington Gardens W2 • Métro Lancaster Gate • Ouv. t.l.j. 10h-18h*

8 Royal Academy

Bien qu'elle n'abrite aucune collection permanente, la Royal

Gauche **Maison de Dickens** Droite **Intérieur de la maison de Carlyle**

ᵀᴼᴾ10 Hôtes célèbres

1 Sherlock Holmes
Le célèbre détective de fiction
créé par Arthur Conan Doyle
apparut pour la première fois en
1891. Il reçoit régulièrement du
courrier d'admirateurs à son
adresse non moins fictive, 221b
Baker Street (le musée jouxte le
n° 239, p. 130).

2 Charles Dickens
Le grand romancier,
dénonciateur de la misère sociale
(1812-1870), vécut à Doughty
Street pendant 2 ans à partir de
1837, dans une maison entraînant à
ses yeux « d'épouvantables
responsabilités » (p. 108).

3 Dr Johnson
« Lorsqu'un homme est las
de Londres, il est las de la vie »,
disait Samuel Johnson (1709-
1784), qui vécut dans la City de
1748 à 1759. Il y prépara la
rédaction de son célèbre
dictionnaire, aidé de six copistes
qui travaillaient au grenier. Son
compagnon, James Boswell, tint
une chronique des allées et
venues des visiteurs. ◈ Dr Johnson's
House, 17 Gough Square EC4 • Plan P2
• Ouv. lun.-sam. 11h-17h30 • EP

Célèbre divan de Sigmund Freud

Sherlock Holmes, grand détective londonien

4 John Keats
Ce poète romantique, né à
Londres (1795-1821), vécut à
Hampstead de 1818 à 1820,
avant de partir en Italie pour
soigner la tuberculose qui devait
lui être fatale. Amoureux de
Fanny Brawne, fille de son
voisin, il écrivit la célèbre et
magnifique Ode to a Nightingale
(Ode à un rossignol, p. 141).

5 Sigmund Freud
Le Viennois fondateur de la
psychanalyse (1856-1939) passa
la dernière année de sa vie dans
une maison du nord de Londres
(p. 136). Juif, il avait fui le
nazisme, emportant avec lui son
fameux divan (p. 141).

6 Lord Leighton
Né dans le Yorkshire, Frederick
Leighton (1830-1896), qui fut le
peintre le plus renommé de
Londres à l'ère victorienne, fut
président de la Royal Academy. Il
fit construire une maison exotique
en 1899 (p. 121).

7 Thomas Carlyle

L'historien et essayiste écossais, célèbre pour son histoire de la Révolution française, vécut à Londres à partir de 1834. ◎ *Carlyle's House, 24 Cheyne Row SW3 • Plan C6 • Ouv. avr.-oct., mer.-dim. 11h-17h • EP*

8 Le duc de Wellington

Charles Wellesley, premier duc de Wellington (1769-1852), résida à Apsley House, dont l'adresse est simplement n°1, Londres. Il s'y installa en 1817, après les guerres napoléoniennes *(p. 114)*.

9 Georg Friedrich Haendel

Né en Allemagne, le grand compositeur découvrit Londres en 1710 et s'y établit définitivement en 1712. ◎ *Handel House Museum, 25 Brook St W1 • Plan D3 • Ouv. mar.-sam. 10h-18h (jeu. 10h-20h), dim. 12h-18h • EP*

10 William Hogarth

Ce peintre de la vie londonienne (1697-1764, *p. 20-21*) occupait, près de Chiswick, une « petite boîte de campagne au bord de la Tamise ». ◎ *Hogarth's House, Hogarth Lane W4 • Ouv. avr.-oct., mar.-ven. 13h-17h, sam. et dim. 13h-18h ; nov.-mars, mar.-ven. 13h-16h, sam. et dim. 13h-18h • Fer. jan. • EG*

Intérieur ornementé de Leighton House

Les plaques bleues

Rondes et apposées sur certains murs de Londres, elles évoquent d'autres habitants célèbres.

1 Wolfgang A. Mozart

Le compositeur autrichien (1756-1791) écrivit sa première symphonie à 8 ans, au n°180 Ebury Street.

2 Benjamin Franklin

Homme d'État et savant (1706-1790), il vécut un certain temps au n°38 Craven Street.

3 Charlie Chaplin

Le populaire acteur de cinéma (1889-1977) naquit au n°287 Kennington Road.

4 Charles de Gaulle

Le général (1890-1970) organisa les Forces françaises libres au n°6 Carlton Terrace pendant la Seconde Guerre mondiale.

5 Dwight Eisenhower

Durant la Seconde Guerre mondiale, le commandant des Alliés (1880-1969) résida au n°20 Grosvenor Square.

6 Mark Twain

L'humoriste américain (1835-1910) habita un an au n°23 Tedworth Square.

7 Mahatma Gandhi

Le « père » du mouvement pour l'indépendance de l'Inde (1869-1948) étudia le droit à l'Inner Temple en 1889.

8 Jimi Hendrix

Le guitariste américain (1942-1970) vécut au n°23 Brook Street.

9 Henry James

Cet écrivain américain (1843-1916) résida à Bolton Street, de Vere Gardens et Cheyne Walk, où il mourut.

10 Giuseppe Mazzini

De 1837 à 1849, le patriote et révolutionnaire italien (1805-1872) demeura au n°183 Gower Street.

Gauche **Buckingham Palace** Droite **Kensington Palace**

Demeures royales

1 Buckingham Palace
p. 26-27

2 Hampton Court
Magnifique exemple de l'architecture Tudor, Hampton Court, construit au XVIe s. pour le cardinal Wolsey, allié de Henry VIII, fut ensuite offert au roi. Le souverain l'agrandit, ainsi que William III et son épouse, qui engagèrent l'architecte Christophe Wren. Le château abrite une grande cuisine, une galerie de peintures Renaissance, une chapelle et des appartements royaux. Couvrant plus de 20 ha, les jardins, ornés d'un célèbre labyrinthe, attirent autant de monde que le palais *(p. 147)*.

3 Kensington Palace
Palais royal intime où résidait la princesse Diana, situé dans Kensington Gardens. Les premiers souverains qui s'y installèrent, en 1689, furent William III et son épouse. La reine Victoria, qui y naquit en 1837, ouvrit une partie de l'édifice au public, en particulier les appartements d'apparat. Toujours visibles, ils abritent une collection de vêtements de cérémonie royaux. Savourez un café dans l'Orangerie *(p. 119)*.

4 St James's Palace
Bien qu'il soit fermé au public, St James's, qui abrite des bureaux du prince Charles, tient une place importante parmi les

Porte Tudor, **St James's Palace**

demeures royales. Son style Tudor classique situe sa construction sous le règne de Henry VIII qui y vécut très peu de temps *(p. 113)*.

5 Kew Palace and Queen Charlotte's Cottage
Situé dans Kew Gardens, Kew Palace, le plus petit des palais royaux, fut construit en 1631 et habité par George III et la reine Charlotte. Le cottage de cette dernière était utilisé pour des pique-niques et abritait une ménagerie *(p. 147)*. ✆ Kew, Surrey • *Fer. pour rénovation*

6 Banqueting House
Érigé par Inigo Jones, cet édifice est admiré pour une pièce surmontée d'un plafond peint par Rubens à la demande de Charles I. Le roi sortit directement de cette salle pour monter à l'échafaud, en 1649.
✆ Whitehall SW1 • Plan L4 • *Ouv. lun.-sam. 10h-17h* • EP

Détail du plafond de Banqueting House

7 Queen's House

Cette exquise demeure du XVIIe s. sise dans Greenwich Park, premier édifice palladien d'Inigo Jones, fut habitée par l'épouse de Charles I. Magnifiquement restaurée sous forme de galerie, elle abrite une partie de l'immense collection du National Maritime Museum. ✪ *Romney Road SE10 • Train jusqu'à Greenwich • Ouv. t.l.j. 10h-17h • EP*

8 Royal Mews
p. 26-27

9 Queen's Chapel

Réservée à sa congrégation, cette belle chapelle royale construite par Inigo Jones en 1627 a conservé son décor intérieur d'époque, en particulier un autel d'Annibale Carracci. ✪ *Marlborough Road SW1 • Plan K5*

10 Clarence House

Conçue par John Nash en 1827 pour le duc de Clarence, qui y vécut après son accession au trône en 1830, cette résidence fut habitée par la reine mère jusqu'à sa disparition, en 2002. ✪ *Stable Yard SW1 • Plan K5 • Fer. au public*

Queen's House, Greenwich

Têtes couronnées et vie quotidienne

1 Épagneul King Charles
Chien favori de Charles II. La reine Elizabeth II préfère les corgis.

2 Queen Anne's Gate
Pittoresque petite rue de Westminster ornée d'une statue de la reine qui donna son nom à un style de meubles.

3 Regent's Park
Le prince régent, futur George IV, employa John Nash pour réaliser ses ambitieux plans urbains.

4 Duke of York Steps
Une effigie du « Grand Old Duke of York », héros de comptine, se dresse en haut des marches, près de Pall Mall.

5 Victoria Station
Les gares ferroviaires londoniennes furent construites sous le règne de Victoria.

6 Albert Memorial
Dans Kensington Gardens, un monument est dédié au prince Albert, époux bien-aimé de la reine Victoria *(p. 119)*.

7 George Cross
Instituée en 1940 sous le règne de George VI, cette médaille récompense les actes d'héroïsme de civils.

8 Princess of Wales Pubs
Plusieurs pubs ont changé de nom en hommage à Diana, « princesse du peuple ».

9 Windsor Knot
L'élégant duc de Windsor, qui renonça au trône en 1938, confronta le monde à une situation difficile à dénouer.

10 King Edward Potato
Edward VII, qui visita l'Irlande après la famine de 1903, donna son nom à ces pommes de terre.

Les parcs et jardins royaux de Londres **p. 28-29**

Gauche **Colonnade de l'ICA** Centre **Façade du Royal Court Theatre** Droite **Affiche du Sadler's Wells**

🔟 Salles de spectacles

1 Royal Opera House

Cette célèbre salle d'opéra abrite la Royal Ballet Company et accueille des productions internationales. Outre le somptueux auditorium principal, elle contient deux petits théâtres de musique et de danse, Lindbergh et Clore. On peut visiter les coulisses. Les opéras sont parfois retransmis sur un grand écran installé sur la Piazza *(p. 99)*.

2 The Royal National Theatre

Un spectacle dans cette salle vous fera plonger au cœur de la vie culturelle londonienne. Dans ce bâtiment innovateur conçu par Devys Lasdun en 1976, les trois salles de théâtre (the Olivier, the Lyttleton ou the Cottesloe) vous proposent comédies musicales, pièces classiques et créations modernes. Spectacles et expositions gratuits dans le foyer. Billets à tarif réduit vendus à partir de 10h le jour de la représentation. ✆ *South Bank SE1 • Plan N4 • 020 7452 3000*

3 Barbican Centre

Abritant deux des plus grandes compagnies de théâtre et de musique du monde, la Royal Shakespeare Company et le London Symphony Orchestra, le Barbican est le complexe artistique le plus important de la City. Pièces, concerts, ballets et expositions y

Casse-Noisette, Royal Opera House

sont programmés. Bibliothèque, salle de colloques et école de musique. Plusieurs restaurants, cafétérias et bars *(p. 135)*.

4 London Coliseum

La seconde grande salle d'opéra de Londres offre des productions en anglais par l'English National Opera. Elle sera fermée de juin à décembre 2003 pour rénovation. ✆ *St Martin's Lane WC2 • Plan L3 • 020 7632 0111*

Globe doré surmontant le London Coliseum

5 The Royal Festival Hall

Le London Philharmonic Orchestra s'y produit, entre autres orchestres de réputation internationale. Installez-vous dans l'une des cafétérias et admirez le décor 1950, en particulier le majestueux escalier. ✆ *South Bank SE1 • Plan N4 • 020 7960 4201*

6 Sadler's Wells

Après avoir conquis sa réputation de meilleur théâtre de danse londonien dans les années 1950, cette salle accueille aujourd'hui musique et opéra. Le saisissant nouveau bâtiment s'enorgueillit de sa programmation nationale et internationale *(p. 144)*.

7 Royal Albert Hall

L'extérieur de cet édifice original de forme circulaire, inspiré par l'amphithéâtre romain, s'orne d'une délicate frise classique. L'excellente acoustique de la salle en fait le lieu privilégié des concerts, y compris des « Proms » de la BBC *(p. 66 et 120)*.

8 Royal Court Theatre

Le meilleur du théâtre actuel se donne dans ce charmant petit théâtre, récemment rénové, dont la grande et la petite salle sont également réputées. Jouez à reconnaître des acteurs dans le restaurant et le bar. ◈ *Sloane Square SW1* • *Plan C5* • *020 7565 5000*

9 Riverside Studios

Situé à Hammersmith, au bord de la Tamise, ce centre d'arts et médias propose un programme éclectique de cinéma, de théâtre, de danse et d'arts visuels. Des œuvres de Samuel Beckett et de Peter Brook y furent créées. Les anciens studios sont encore utilisés par la BBC pour des émissions de télévision. La cafétéria et le bar valent une visite. ◈ *Crisp Road W6* • *Métro Hammersmith* • *020 8237 1111*

10 ICA

Cette imposante *terrace* ornée d'une colonnade abrite l'Institute of Contemporary Arts, galerie la plus branchée de Londres, qui encourage la production d'œuvres nouvelles d'art visuel. Elle distribue le Becks, prix artistique le plus important du Royaume-Uni. ◈ *The Mall SW1* • *Plan K5* • *020 7930 3647*

Représentation au Royal Albert Hall

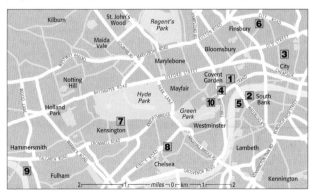

Les autres théâtres de Londres **p. 60-61**

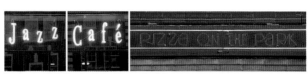

Gauche **Jazz Café, Camden** Droite **Pizza on the Park**

Salles de concert

1 Ronnie Scott's
Club de jazz légendaire ouvert par le saxophoniste Ronnie Scott (1929-1996) en 1959. Tables intimes éclairées d'une lampe. La petite scène a vu jouer des stars telles que Miles Davis et Dizzie Gillespie et continue d'attirer de grands artistes *(p. 93)*.

2 100 Club
Repaire plein d'atmosphère de jazz et de blues, ouvert jusqu'à 2h du matin. Après les Rolling Stones, les Sex Pistols et d'autres groupes des années 1970, il accueille des formations indépendantes. ✆ *100 Oxford Street W1 • Plan K2 • 020 7636 0933*

3 The Jazz Café
Excellente nourriture et musique de grands musiciens de jazz et de soul. Les tables du balcon sont les mieux situées. ✆ *5 Parkway NW1 • Plan D1 • 020 7916 6060*

4 Astoria
Célèbre salle de rock, ce théâtre accueille toute une variété de groupes. Son ambiance peu sophistiquée attire des fans

Ronnie Scott's jazz club

enthousiastes. ✆ *157 Charing Cross Road WC2 • Plan L2 • 020 7434 9592*

5 Brixton Academy
C'est l'endroit où se produisent de grands noms de la musique. Bien qu'elle accueille 4 000 spectateurs, la salle conserve une atmosphère intime et permet, où que l'on soit assis, de bien voir les musiciens. ✆ *211 Stockwell Road SW9 • 020 7771 2000 • Métro Brixton*

6 Dingwalls
Cette salle informelle donnant sur le Regent's Canal, au plancher de bois et aux tables disposées sur plusieurs niveaux, propose musique et comédie. ✆ *Camden Lock NW1 • 020 7267 1577 • Métro Camden Town*

7 Pizza on the Park
Célèbre pour ses concerts nocturnes interprétés par de petites formations ou des chanteurs en solo, puisant dans le vaste répertoire du jazz, cet

Pizza on the Park

endroit est également le point Pizza Express le plus apprécié de la ville. ✪ *11 Knightsbridge SW1* • *Plan C4* • *020 7235 5273*

8 Borderline
L'un des meilleurs clubs de Londres, au sous-sol du restaurant Break for the Border *(p. 93)*, Borderline accueille nombre de groupes internationaux et change de programme chaque soir de la semaine. ✪ *Orange Yard, Manette Street W1* • *Plan L2* • *020 7734 2095*

9 Roadhouse
Décor rétro des années 1950 et orchestres variés ont rendu ce lieu populaire. Ouvert très tard, il propose chaque soir une happy hour et une ladie's night le mardi (entrée gratuite et verre de champagne offert aux dames). ✪ *Jubilee Hall, 35 The Piazza WC2* • *Plan M3* • *020 7240 6001*

Bar du Roadhouse

10 Troubadour Coffee House
Club décontracté plein de caractère, consacré à la musique folk. Tous les grands chanteurs des années 1960 s'y sont produits. Aujourd'hui, les soirées réunissent chanteurs, poètes et comédiens sont empreintes d'un sympathique amateurisme. ✪ *265 Old Brompton Road SW5* • *Plan A6* • *020 7370 1434*

Discothèques

1 Fabric
Meilleure piste de danse de la ville, répartie sur 3 salles. Musique variée (licence de 24 h). ✪ *77a Charterhouse Street EC1* • *Plan Q1*

2 Hanover Grand
La discothèque la plus chic : house music, R&B et hip-hop. ✪ *6 Hanover Street W1* • *Plan J2*

3 Stringfellows
On y vient danser pour voir et être vu. ✪ *16–19 Upper St Martin's Lane WC2* • *Plan L3*

4 Madame Jo-Jo's
Les meilleurs numéros de travestis de la ville. ✪ *8–10 Brewer Street W1* • *Plan K3*

5 Electric Ballroom
Funk disco sur 3 niveaux jusqu'à 3h. ✪ *184 Camden High Street NW1* • *Plan D1*

6 Ministry of Sound
Danse toute la nuit dans la plus branchée des boîtes de Londres. ✪ *103 Gaunt Street SE1* • *Métro Elephant & Castle*

7 Africa Centre
Funk, hip-hop et sons africains. Ouvert jusqu'à 3 h. ✪ *38 King Street WC2* • *Plan M3*

8 Café de Paris
Disco populaire et restaurant. ✪ *3 Coventry Street W1* • *Plan K3*

9 Heaven
Sous la gare de Charing Cross, plusieurs pistes et bars dans la boîte gay la plus connue de Londres. ✪ *Villiers Street WC2* • *Plan M4*

10 The End
Discothèque sophistiquée pour danser au son de drum 'n' bass, funk, techno et house music. ✪ *18 West Central Street WC1* • *Plan M1*

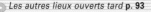 *Les autres lieux ouverts tard* **p. 93**

Gauche *Blood Brothers* Droite *Phantom of the Opera,* **Her Majesty's Theatre**

Spectacles du West End

1 Les Misérables
Écrit en 1862, le roman de Victor Hugo fut adapté au théâtre en 1985 par Trevor Nunn pour la Royal Shakespeare Company. Depuis, le spectacle se donne sans discontinuer. Mise en musique par Alain Boublil et Claude-Michel Schönberg, cette histoire, dont les héros nous sont si familiers, se joue actuellement sur la scène du Palace Theatre, qui fut inauguré en 1891. § *Palace Theatre, Shaftesbury Avenue W1 • Plan L2 • 020 7434 0909*

Les Misérables, Palace Theatre

2 The Mousetrap
« La Souricière », histoire policière d'Agatha Christie, représentée à Londres depuis 1952, a réuni plus de 100 millions de spectateurs. L'auteur pensait qu'elle ne tiendrait l'affiche que 6 mois. En 1955, après la millième représentation, un critique écrivit : « Le plus grand mystère de la soirée est la raison pour laquelle cette pièce se joue depuis si longtemps. » § *St Martin's Theatre, West Street WC2 • Plan L3 • 020 7836 1443*

3 Mamma Mia!
Cette amusante comédie musicale de Benny Andersson et Björn Ulvaeus doit en partie sa réussite à la nostalgie qu'elle suscite. Reposant sur 22 succès du groupe ABBA, elle se déroule sur une île grecque. § *Prince Edward's Theatre, Old Compton Street W1 • Plan L2 • 020 7447 5400*

4 Phantom of the Opera
Probablement le plus grand succès international de Andrew Lloyd Webber, cette comédie musicale de 1986, adaptée d'un roman français de Gaston Leroux, se déroule à l'Opéra de Paris. § *Her Majesty's Theatre, Haymarket SW1 • Plan L4 • 020 7494 5400*

5 The Woman in Black
Cette histoire de fantômes classique, représentée depuis 1989 dans l'une des plus petites salles de Londres, vous tient en suspens tout au long du

La troupe du *Phantom of the Opera*

Interprètes de *Chicago*

spectacle. ✪ *Fortune Theatre, Russell Street WC2 • Plan N3 • 020 7836 2238*

6 Lion King
Production pleine d'imagination, adaptée du dessin animé de Disney. Costumes et effets spéciaux éblouissent les adultes aussi bien que les enfants. Musique d'Elton John et de Tim Rice. ✪ *Lyceum Theatre, 21 Wellington Street WC2 • Plan N3 • 0870 243 9000*

7 Art
Comédie intellectuelle française de Yasmina Reza, qui se joue à Londres depuis 1996 et met en scène trois amis. ✪ *Wyndham's Theatre, Charing Cross Road WC2 • Plan L2 • 020 7369 1746*

8 Chicago
Succès américain de Bob Fosse, situé dans le Chicago de la pègre et produit à Londres depuis 1998. L'interprétation de la musique et de la danse est restée excellente malgré plusieurs changements de distribution. ✪ *Adelphi Theatre, Strand WC2 • Plan M3 • 020 7344 0055*

9 Stones in His Pocket
Deux comédiens interprètent non seulement le rôle de figurants irlandais dans un film américain sur l'Irlande, mais également tous les autres personnages. Ce spectacle porte un regard hilarant sur les Irlandais vus par le cinéma américain. ✪ *Duke of York's, St Martin Lane WC2 • Plan L3 • 020 7369 1733*

10 Blood Brothers
Comédie musicale émouvante de Willy Russell. Des jumeaux ont été séparés à la naissance car leur mère ne pouvait élever qu'un seul enfant : le second vit avec le patron de cette dernière. Leur rencontre fait l'objet de ce mélange réussi de comédie et de tragédie. ✪ *Phoenix Theatre, Charing Cross Road WC2 • Plan L2 • 020 7369 1733*

Les autres spectacles de Londres **p. 56-57**

Gauche **Enseigne du George Inn** Droite **Devant le George Inn**

🔟 Pubs

1 The Lamb and Flag
Cet établissement ancien, extrêmement fréquenté, a conservé l'aspect qu'il avait au temps de Charles Dickens. Tout l'été, les clients débordent dans la ruelle où il est situé, au cœur de Covent Garden. John Dryden, poète du XVIIe s., fut sauvagement agressé devant ce pub surnommé « Bucket of Blood » (« seau de sang ») en raison des bagarres qui s'y déroulaient (p. 104).

2 Dog and Duck
Petit établissement de Soho intime et confortable, qui contient un bar minuscule fréquenté par les étudiants des beaux-arts et des décorateurs. Une ardoise énumère la dernière sélection de bières issues de tous les coins de l'Angleterre (p. 94).

The Lamb and Flag, Covent Garden

Dog and Duck, Soho

3 Ye Olde Cheshire Cheese
Situé dans une rue pittoresque donnant sur Fleet Street, ce dédale de petites pièces, reconstruit en 1667 après le Grand Incendie de Londres, était fréquenté par le Dr Johnson (p. 52) entre autres écrivains. Ses recoins intimes agrémentés, l'hiver, de feux de cheminée, constituent un lieu de rendez-vous vraiment très agréable. ◈ Wine Office Court EC4 • Plan Q2

4 George Inn
Érigée en 1676, la George Inn, dernière auberge de relais de chevaux de Londres, fut classée en 1937. Vous pouvez y savourer une délicieuse bière dans une multitude de pièces ornées de poutres et de fenêtres treillissées, ou dans la grande cour (p. 86)

5 Jerusalem Tavern
Charmant petit pub ancien compartimenté, qui a peu changé depuis le XVIIIe s. Les clients y viennent pour essayer tous les produits rares, mais appréciés, d'une brasserie du Suffolk, la St Peters. Repas légers servis au déjeuner. ◈ 55 Britton Street EC1 • Plan G2

6 Spaniards Inn

Au nord de Hampstead Heath, ce ravissant petit établissement du XVIe s. au parfum d'antan, pourvu d'un grand jardin, fut autrefois fréquenté par Dick Turpin, célèbre bandit de grand chemin, ainsi que par Keats, Shelley et Byron *(p. 145)*.

7 O'Hanlon's

Pub de caractère, près d'Exmouth Market, à Clerkenwell, qui réserve des surprises : son décor peu recherché ne laisse rien deviner de l'excellence des *ales* brassées par le propriétaire, John O'Hanlon, à South London. Ragoûts et *pies* bon marché perpétuent la tradition du pub irlandais. ❀ *8 Tysoe Street EC1 • Plan F2*

8 The Grapes

Construit vers 1720, cet établissement, orné de boiseries, a survécu au développement moderne des Docklands, conservant son charme traditionnel et informel. Le bar à l'arrière comporte une cheminée et une terrasse au bord de la Tamise. L'excellent restaurant de l'étage est réputé pour son poisson. ❀ *76 Narrow Street E14 • DLR Westferry*

9 The Eagle

Ce vaste pub victorien, très populaire et vivant, attire une vaste clientèle par sa cuisine d'inspiration espagnole, aux portions généreuses de prix raisonnable, que l'on déguste avec une bonne sélection de bières et de vins *(p. 76)*. ❀ *159 Farringdon Road EC1 • Métro Farringdon • Pas de réservation*

10 Freedom Brewing Co.

Bien que la bière ne soit plus brassée sur place, l'établissement sert un vaste choix d'excellentes *ales*. Le restaurant de ce bar élégant propose une cuisine savoureuse dans un sous-sol aux murs de brique. ❀ *41 Earlham Street WC2 • Plan L2*

Freedom Brewing Co., Covent Garden

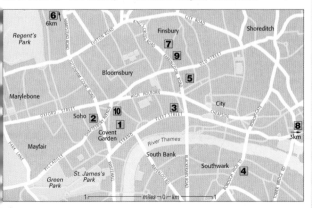

➔ *Où manger* **p. 76-77**

Gauche **Hamleys** Droite **Harrods la nuit**

📐 Boutiques et marchés

Façade à colombages de Liberty

1 Liberty
Cet édifice à colombages, qui date de 1925, orné de boiseries et d'un beau plancher, offre autant d'intérêt que les marchandises raffinées qu'il contient. Longtemps associé au mouvement « Art et Artisanat », il eut recours à des artistes tels que William Morris pour concevoir ses tissus. Mode féminine et masculine et cadeaux originaux *(p. 110)*.

2 Fortnum and Mason
L'arrivée du XXIᵉ s. passe presque inaperçue dans le magasin le plus élégant de Londres. Le rez-de-chaussée propose ses traditionnels produits alimentaires anglais. Au sous-sol, paniers de pique-nique bien garnis et grand choix de vins. Aux étages supérieurs, vêtements et cadeaux raffinés *(p. 116)*.

3 Harrods
Ce grand magasin célèbre et chic est surtout un lieu de distraction. On peut y acheter les choses les plus extraordinaires (animaux sauvages, pianos ou voitures de course pour enfants) à prix non moins exceptionnels. Visitez l'alimentation, justement célèbre, la boucherie carrelée et le rayon frais, en particulier ses fameux fromages *(p. 123)*.

4 Harvey Nichols
Presque une parodie de lui-même, « Harvey Nicks » est le temple du glamour : haute couture, parfums très raffinés, maquillage coûteux et accessoires sophistiqués pour la maison. Le 5ᵉ étage se consacre à la nourriture. Rayon alimentaire, bar à sushis et restaurant où l'on vient pour être vu *(p. 123)*.

5 Hamleys
Les 5 étages du plus vaste magasin de jouets de Londres proposent tout ce que les enfants peuvent désirer : marionnettes, jeux traditionnels, peluches géantes, maquettes, matériaux d'artisanat, jouets et gadgets électroniques dernier cri. Les femmes y trouvent plein d'idées pour faire plaisir à leurs grands enfants de maris *(p. 110)*.

Mon ami l'ours en peluche, Hamleys

6 Portobello Road
Rue très animée, surtout le samedi, qui débute par des boutiques d'antiquités et se poursuit par des brocantes. Vers le nord, elle présente stands de nourriture, vendeurs de vêtements artisanaux et musiciens *(p. 120)*.

7 Camden Market
On y passe volontiers un samedi. Ce vaste marché qui s'étale autour de Camden Lock occupe plusieurs rues et bâtiments. On se croirait encore dans les années 1960. Grande affluence le dimanche *(p. 141)*.

8 Waterstone's Piccadilly
S'affirmant la plus grande librairie d'Europe, Waterstone's, qui propose 250 000 titres, comporte un restaurant, des cafétérias et des bars *(p. 116)*.

Magasin d'antiquités, Portobello Road

9 John Lewis
Ce magasin fournit aussi bien des articles de cuisine et de mercerie, du mobilier, des vêtements et des tissus, que des accessoires électriques. Personnel compétent, prix corrects et qualité garantie *(p. 132)*.

10 Tower Records
Dans ce magasin central, qui reste ouvert jusqu'à minuit plusieurs jours par semaine, on trouve un choix exceptionnel de musique incluant produits d'importation, vinyles et vidéos. Jazz et classique au 1er étage, littérature au sous-sol *(p. 92)*.

Marché couvert de Camden

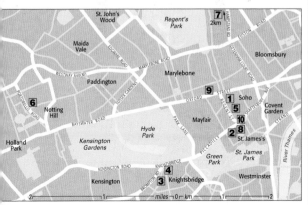

Gauche **Chelsea Flower Show** Droite **Lord Mayor's Show**

🔟 Événements culturels

1 Carnaval de Notting Hill
Cette fête jamaïcaine de 3 jours, le plus grand carnaval d'Europe, se déroule au son de toutes les musiques, offertes par steel bands et DJ. Mets épicés, costumes colorés et danseurs frénétiques. Parade des enfants le dimanche et des adultes le lundi. ✪ Notting Hill W11 • Plan A3 • Août, der. sam.-lun.

2 Chelsea Flower Show
Événement social et horticole, cette manifestation annuelle de la Royal Horticultural Society expose des jardins originaux et somptueux créés pour l'occasion. ✪ Chelsea Royal Hospital SW1 • Plan C6 • Mi-mai • EP

Trooping the Colour, Horse Guards Parade

3 Trooping the Colour
La reine célèbre officiellement son anniversaire avec la Horse Guard Parade. Revêtus de leur tunique rouge et de leur bonnet d'ours, les gardes se livrent à des exercices d'un ensemble parfait avant d'accompagner la souveraine à Buckingham Palace. ✪ Horse Guards Parade SW1 • Plan L5 • Sam. proche du 10 juin

Costume original, Carnaval de Notting Hill

4 BBC Promenade Concerts
La plus grande série de concerts du monde, dont le dernier, relayé en direct jusqu'à Hyde Park, fait trembler le Royal Albert Hall sur ses fondations avec Land of Hope and Glory (p. 120). ✪ Royal Albert Hall SW1 • Plan B5 • Mi-juil.-mi-sept.

5 Royal Academy Summer Exhibition
Près de 1 000 œuvres sont sélectionnées pour l'exposition de peinture la plus éclectique du monde. Tableaux à £100. ✪ Piccadilly W1 • Plan J4 • Mai-août • EP

6 Lord Mayor's Show
Chaque année, la City élit un Lord Mayor qui parcourt le Square Mile dans un carrosse doré. Orchestres militaires, chars et membres de guildes en costume traditionnel se rendent du Guildhall à la cour de justice. Feu d'artifice en soirée. ✪ City of London • Plan R2 (Guildhall) • Nov. 2ᵉ sam.

7 Guy Fawkes Night

À travers le pays, des effigies de Guy Fawkes, qui tenta de faire sauter le Parlement en 1605, sont brûlées à la lueur de feux d'artifice. Les enfants fabriquent des mannequins et de petits arsenaux pour lesquels ils réclament un penny. ✆ *5 nov.*

8 Chinese New Year

Chinatown *(p. 87)* est envahi par des dragons dansant et soufflant du feu, lors du Nouvel An chinois. Foule bigarrée, mets et objets artisanaux orientaux. ✆ *Soho W1 • Plan L3 • Fin jan.-début fév.*

9 London Film Festival

Nombre de films internationaux sont projetés lors de ce festival du cinéma pour lequel toutes les salles baissent leurs prix. Un kiosque, dressé dans Leicester Square, prend les réservations et distribue des programmes. ✆ *West End • Nov.*

10 Great British Beer Festival

Organisé par le CAMRA (Campaign for Real Ale), ce festival à la gloire de l'*ale* permet de goûter aux meilleurs cidres et bières du pays. ✆ *Olympia W8 • Août • EP*

Feu d'artifice du Lord Mayor's Show

Les sports

1 Wimbledon Lawn Tennis Championship

Championnats du monde sur gazon ✆ *All England Lawn Tennis and Croquet Club, Wimbledon • Juin-juil.*

2 London Marathon

Course de 42 km sur route Greenwich Park-Winchester. ✆ *Avr.*

3 Cheltenham and Gloucester Trophy Final

Apogée de la saison de cricket. ✆ *Lord's NW8 • Juin*

4 Oxford and Cambridge Boat Race

Course annuelle d'aviron des 2 universités sur la Tamise (6,5 km). ✆ *De Putney à Mortlake • Mars*

5 Horse of the Year Show

Compétition de jumping durant 6 jours. ✆ *Wembley Arena • Oct.*

6 Varsity Match

Oxford contre Cambridge au rugby. ✆ *Twickenham Rugby Ground • Déc.*

7 Head of the River Race

Compétition d'aviron d'une journée entre 400 embarcations. ✆ *De Mortlake à Putney • Mars*

8 Six Nations Rugby

Tournoi de rugby entre l'Angleterre, la France, l'Irlande, l'Italie, l'Écosse et le Pays de Galles. ✆ *Twickenham Rugby Ground • Fév.-mars-avr.*

9 Royal Ascot

Toute la haute société londonienne vient aux courses en rivalisant d'élégance. ✆ *Ascot, Berkshire • Juin*

10 Doggett's Coat and Badge

Les membres de la Company of Waterman font la course à la godille. ✆ *De London Bridge à Chelsea Bridge • Juil.*

Gauche **London Zoo** Droite **London Dungeon**

🔟 **Londres avec des enfants**

1 Science Museum
p. 24-25

2 Natural History Museum
p. 22-23

3 Madame Tussaud's
Ce musée de cire vous permet de voir de près tous les gens célèbres, d'Arnold Schwarzenegger à la reine d'Angleterre. « Spirit of London » vous entraîne dans une promenade éclair à travers l'histoire de la ville. La célèbre Chamber of Horrors, qui vous confronte aux criminels les plus infâmes de Londres, abrite la vraie guillotine qui décapita Marie-Antoinette. À côté, le Planetarium propose une animation de 30 min et 2 expositions interactives sur l'espace. Arrivez tôt pour éviter de faire la queue *(p. 129)*.

Couple royal en cire, Madame Tussaud's

4 London Zoo
On peut passer une journée entière dans ce lieu qui couvre plus de 14 ha. Abritant la Zoological Society of London, le zoo met l'accent sur l'importance de la conservation et de la recherche. Ses cages et enclos ont reçu des prix. Des animations y sont proposées : centre de soins pour animaux domestiques, animaux en action et démonstration d'oiseaux prédateurs *(p. 129)*.

5 London Aquarium
Sept zones aquatiques différentes s'étendent sur 2 étages dans cet endroit fascinant : étangs d'eau douce, récifs de corail, marécages ou océans profonds. Asseyez-vous et observez la distribution de nourriture aux requins et piranhas ou attrapez un crabe ou une étoile de mer dans le bassin accessible au public *(p. 84)*.

6 London Trocadero
Au cœur du West End, Trocadero séduit les enfants. Outre ses magasins, restaurants et salles de cinéma, il leur propose des attractions. Une chute libre à soulever l'estomac, une piste de bowling et un ensemble de jeux vidéo et de simulateurs high-tech les occupent pendant des heures *(p. 91)*.

Requins, London Aquarium

7 Museum of Childhood

Les enfants sont invités à passer une journée dans ce « musée de l'Enfance », qui contient l'une des collections de jouets les plus vastes du monde, comprenant poupées, ours en peluche, marionnettes, jeux et costumes d'enfants. Des activités sont proposées le week-end *(p. 154)*.

Maison de poupée, Museum of Childhood

8 Coram's Fields

Aucun adulte n'est admis sans enfant, annonce le panneau sur la porte de ce parc de presque 3 ha consacré aux petits. Pataugeoire, zones de jeux et ferme abritant des animaux domestiques. ® *93 Guilford Street WC1 • Plan F2 • Ouv. t.l.j. • EG*

9 Battersea Park

Ce grand parc offre des jardins colorés, un terrain d'aventures, un lac où canoter, un enclos de cerfs et un zoo pour enfants *(p. 150)*. ® *Albert Bridge Road SW11 • Plan D6 • Zoo : ouv. printemps à oct. et le week-end en hiver • EP*

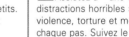

Panneau d'entrée, London Dungeon

10 London Dungeon

Assistez à « une orgie de distractions horribles » avec violence, torture et mort à chaque pas. Suivez le parcours sanglant du serial-killer victorien, Jack the Ripper (Jack l'Éventreur), assistez à des meurtres médiévaux, au Grand Incendie de Londres où à votre propre exécution lors du Jugement dernier. Programme déconseillé aux âmes sensibles. ® *28 Tooley Street, SE1 • Plan H4 • Ouv. avr.-mi-juil. 10h-17h30 ; mi-juil.-août 9h30-20h ; sept.-mars 10h-17h30 • EP*

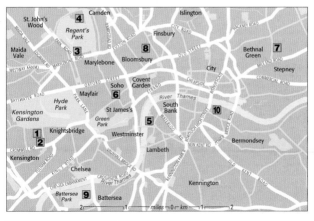

Gauche **Tower Bridge** Droite **St Katharine's Dock**

TOP 10 Au fil de l'eau

1 Lambeth Palace
La résidence officielle de l'archevêque de Canterbury remonte au XIIIe s., mais c'est la porte Tudor, de 1485, qui lui donne son aspect original. ◉ *Lambeth Palace Road SE1 • Plan F5 • Fer. au public, mais vi. gui. du jardin, mer.- jeu. 14h • EP*

Tudor gatehouse, Lambeth Palace

2 Houses of Parliament
p. 34-35

3 Savoy Hotel
 Le premier grand hôtel de Londres fut construit en 1897. La cour d'accès à l'hôtel est le seul endroit de Grande-Bretagne où l'on conduit à droite. Ses « chambres montantes » furent les premiers ascenseurs d'Europe. Oscar Wilde désapprouvait l'installation d'une plomberie moderne : il voulait

sonner pour avoir de l'eau chaude, comme tout gentleman. À côté, le Savoy Theatre fut construit sur le site du Savoy Palace médiéval. ◉ *Strand WC2 • Plan M3*

4 Millenium Bridge
Cette passerelle pour piétons relie la Tate Modern, sur Bankside, à St Paul's et à la City. Ce pont souffrit d'un passage excessif à son ouverture, en 2000. Rouvert depuis la fin 2001, il constitue une approche agréable des édifices du bord de l'eau. ◉ *Plan R3*

5 Shakespeare's Globe
Reconstruite en brique, chêne et chaume, cette salle se dresse près du site du théâtre original, brûlé en 1613. Le centre de l'édifice, à découvert, n'autorise les représentations qu'à certaines périodes. Mais le Globe propose une exposition intéressante et abrite un café et un restaurant avec vue sur le fleuve *(p. 83)*.

6 HMS Belfast
Le *HMS Belfast,* construit en 1938, dernier des croiseurs, participa à la Seconde Guerre mondiale et à la guerre de Corée. En 1971, il fut sauvé pour représenter aux yeux de la nation un vaisseau de

Arrière du Savoy Hotel, surplombant la Tamise

guerre du début du XXᵉ s.
Il fut ensuite transformé en
musée. Les visiteurs admirent le
pont, les grandes salles des
machines et le poste d'équipage
pour se faire une idée de la vie à
bord. ◈ *Morgan's Lane, Tooley St SE1*
• *Plan H4* • *Ouv. mars-oct. t.l.j. 10h-18h ;*
nov.-fév. t.l.j. 10h-17h • *EP*

7 Tower Bridge
À la fois merveille
néogothique et chef-d'œuvre de
génie civil, ce pont, construit en
1894, était muni de pompes à
vapeur destinées à soulever ses
deux moitiés. Visites guidées et
beaux panoramas du sommet
(p. 135).

8 St Katharine's Dock
Ce quai près de Tower
Bridge constitua la première
étape de la réhabilitation des
Docklands. Rénové dans les
années 1980, il est entouré
d'immeubles d'habitation, de
magasins et de cafés *(p. 137)*.

Thames Flood Barrier

Le Cutty Sark, clipper de transport du thé,
Greenwich

9 The Cutty Sark
Construit en 1869, ce
clipper est le dernier de ceux
qui rapportaient à Londres les
précieuses feuilles de thé.
On y comprend la vie des marins
marchands et l'histoire de la
navigation à voile et des routes
commerciales du Pacifique.
◈ *King William Walk SE20* • *Train*
jusqu'à Greenwich ; DLR Cutty Sark
• *Ouv. t.l.j. 10h-17h* • *EP*

10 Thames Flood Barrier
Ce barrage immense en
travers de la Tamise fut construit
en 1982 pour empêcher le vent
et les marées de faire déborder
le fleuve. Le Visitor's Centre
explique la longue histoire des
crues de Londres *(p. 154)*.

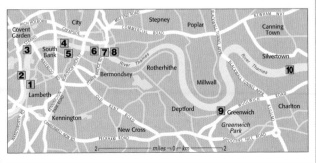

Gauche **Geoffrey Chaucer** Centre **Oscar Wilde** Droite **Martin Amis**

Londres et les lettres

1 Samuel Pepys

Dans son extraordinaire *Journal*, écrit dans une sténographie personnelle déchiffrée en 1825, Samuel Pepys (1633-1703) évoque, du Jour de l'an 1660 au 31 mai 1669, la vie de son temps, la peste, le Grand Incendie et une attaque de Londres par les Hollandais.

2 Dr Johnson

Samuel Johnson (1709-1784), qui présida des réunions littéraires dans des pubs, des cafés et des clubs, ainsi que dans sa propre maison *(p. 52)*, avait une opinion sur tout. Son poème satirique, *Londres* (1738), s'attaquait à la pauvreté dans la ville. Ses satires parlementaires et son dictionnaire le rendirent célèbre.

Le Dr Johnson, gravure

3 Geoffrey Chaucer

Chaucer (1343-1400) fut diplomate et écrivain. Ses *Contes de Canterbury*, un classique de la littérature anglaise, retracent le parcours de pèlerins voyageant de Southwark à Canterbury et devant raconter chacun deux contes.

Peter Ackroyd

4 Oscar Wilde

Né à Dublin, Oscar Wilde (1854-1900), écrivain et auteur dramatique qui éblouit Londres avec ses pièces et la haute société avec son esprit, tomba en disgrâce lorsqu'il fut dénoncé publiquement pour homosexualité. Il publia un seul roman, *Le Portrait de Dorian Gray*.

5 Virginia Woolf

Virginia Woolf (1882-1941) et sa sœur Vanessa Bell vécurent à Gordon Square, où naquit, sous leur impulsion, le Bloomsbury Group. Ténuité de l'intrigue et touches impressionnistes caractérisent ses romans tels que *Mrs Dalloway* (1925) et *La Promenade au phare* (1927).

6 John Betjeman

Fervent Londonien, affichant un dédain pour la bureaucratie, la médiocrité et l'architecture hideuse, Betjeman (1906-1984) fut consacré poète lauréat en 1972. Ses poèmes pleins d'esprit et d'humour en font l'un des écrivains favoris du pays.

7 Colin MacInnes

MacInnes (1914-1976) décrivit les adolescents et les émigrés noirs de Notting Hill dans les années 1950. Son roman *Les Blancs-Becs* se déroule dans le monde des bars, des clubs de jazz, de la boisson et de la drogue, à une époque de grande anxiété.

8 Martin Amis

Enfant chéri de la scène littéraire dans les années 1970 et 1980, Amis (né en 1949), fils d'un célèbre écrivain, Kingsley Amis, publia son premier livre à 24 ans. Londres lui inspira *Money Money* (1984) et *London Fields* (1989, non traduit en français).

9 Zadie Smith

En 1999, son premier roman *Sourires de loup*, très drôle, sur les émigrés asiatiques du nord de Londres, rendit Zadie Smith (née en 1975) célèbre du jour au lendemain.

10 Peter Ackroyd

Biographe de Charles Dickens, Ackroyd (né en 1949) se tourna vers la fiction pour étudier la vie d'autres Londoniens tels que Nicholas Hawksmoor et Oscar Wilde. Il écrivit également *London : a Biography* (2000).

Zadie Smith

Les chansons

1 London Burning
Commémorant le Grand Incendie de 1666, elle est chantée en canon.

2 London Bridge is Falling Down
Chanson traditionnelle relative à l'ancien London Bridge qui tomba en ruine.

3 Oranges and Lemons
Chanson pour enfants rimant avec le nom des églises de la City.

4 Maybe It's Because I'm a Londoner
Chanson célèbre d'un duo de music-hall, Chesnay et Allen, qui réconforta les Londoniens pendant la dernière guerre.

5 The Lambeth Walk
Extraite de *Me and My Girl*, comédie musicale des années 1930, elle reste un classique populaire.

6 London Pride
Chanson d'un sentimentalisme exacerbé qui célèbre la capitale anglaise.

7 England Swings
Cette chanson américaine célèbre fut inspirée par une histoire parue dans le *Time*, annonçant l'arrivée du « Swinging London ».

8 Waterloo Sunset
Les groupes pop n'ont pas coutume de se livrer aux célébrations, à l'exception des Kinks, dans ce disque des années 1960.

9 A Nightingale Sang in Berkeley Square
Célèbre mélodie interprétée par Frank Sinatra, bien qu'il soit très rare d'entendre chanter le rossignol au centre de Londres.

10 Burlington Bertie
Chanson de music-hall racontant la vie d'un gentleman de Mayfair à la Belle Époque.

Les autres habitants célèbres de Londres p. 52-53

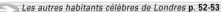

Gauche **Battersea Park** Droite **Thames Path, South Bank**

Londres à pied

1 Thames Path, South Bank
Partez du London Eye et longez la South Bank en aval jusqu'au London Bridge et au Design Museum, au-delà de Butler's Wharf. Cette portion du « chemin de la Tamise » peut être explorée toute une journée. ✪ South Bank • Plan N5

2 Regent's Canal
Il est possible de longer le canal sur 14 km de Paddington à Limehouse. Sur la partie la plus accessible, qui s'étend entre Camden Lock et Regent's Park, des demeures somptueuses se dressent au bord de l'eau. À Little Venice, sont amarrés les bateaux des plus fortunés (p. 130).

Péniche, Regent's Canal

3 Richmond
Richmond constitue un cadre charmant qui offre, outre son parc royal (p. 29), une foule de choses à voir et à faire : pubs et cafétérias au bord de l'eau, avec possibilité de louer des bateaux. En suivant le chemin de halage, on arrive à Ham House, datant du XVIIe s. En été, on accède par ferry à Marble Hill House, Twickenham (p. 148).

Londres, vue de Hampstead Heath

4 Hampstead Heath
Cette étendue de verdure, qui surplombe la ville et s'étend sur 8 km², est un ensemble rural de prairies, de bois, de lacs et d'étangs où l'on peut se baigner et pêcher. Partez dans n'importe quelle direction et faites une halte à Spaniards Inn (p. 145) ou à Kenwood House (p. 142).

5 Hyde Park et Kensington Gardens
Il faut 1h30 pour faire le tour du plus grand espace vert du centre de Londres, qui propose une foule de distractions, de la Serpentine Gallery (p. 51) aux cafés, fontaines et jardins fleuris (p. 28). ✪ Hyde Park W2 • Plan C4 • Ouv. t.l.j. 5h-minuit

6 Battersea Park
Ce parc pittoresque n'est pas réservé qu'aux enfants (p. 69). Longez le fleuve en admirant la pagode bouddhique. Faites le tour du lac et extasiez-vous devant les Riverside Gardens (p. 150).

7 Wimbledon Common

Il est facile de se perdre dans ce vaste espace. Partez du Windmill (moulin à vent) et descendez jusqu'au Queens Mere Pond ou suivez la piste cavalière jusqu'au Caesar's Camp, site préhistorique *(p. 150)*.

8 Blackheath

Cette étendue dénuée d'arbres, appréciée des amateurs de cerf-volant, se déroule derrière Greenwich Park *(p. 29)* jusqu'à Blackheath Village. On peut y faire des promenades à dos d'âne. ❧ *Blackheath SE3 • Train jusqu'à Blackheath*

9 Wetland Centre

La grande réserve d'oiseaux de Londres, située dans 4 réservoirs victoriens désaffectés, couvrant 40 ha environ et abritant 130 espèces, est munie de pistes et comporte un observatoire *(p. 180)*.

10 Highgate Cemetery

Comportant des tombes somptueuses, le plus beau cimetière de Londres est divisé en deux moitiés, est et ouest. Visites guidées obligatoires pour la seconde. Les vivants doivent payer un droit d'entrée *(p. 143)*.

Grandeur passée, Highgate Cemetery

Activités de plein air

1 Canotage

Hyde Park, Regent's Park et Battersea Park possèdent des lacs où l'on peut canoter.

2 Patin à glace

The Leisurebox, à Queensway, est une patinoire couverte, au contraire du Broadgate Centre et de Somerset House.

3 Cerf-volant

Hampstead Heath, Primrose Hill et Blackheath sont les meilleurs terrains.

4 Baignade

Il y a plusieurs piscines à Londres. ❧ *The Oasis, Endell Street WC2 • Porchester Baths, Queensway W2 • Chelsea Sports Centre, Chelsea Manor St SW3*

5 Nature

Les espaces verts offrent à l'amateur de nature une foule de plantes et d'animaux.

6 Skateboard

Nombre de parcs sont équipés pour cette activité. Les pistes de béton de la South Bank *(p. 83)* attirent un public régulier.

7 Vélo

Louez des vélos chez Bikepark à Fulham *(020 7731 7012)* et à la London Bicycle Tour Company sur Gabriel's Wharf *(020 7928 6838)*.

8 Tennis

Couvert : Islington Tennis Centre, Market Rd N7. Découvert : Holland Park, Battersea Park ou Regent's Park.

9 Roller

Les pistes de Hyde Park sont le lieu de rendez-vous.

10 Équitation

Les écuries de Hyde Park sont recommandées. ❧ *63 Bathurst Mews W2.*

➜ *Les autres parcs et jardins royaux de Londres* p. 28-29

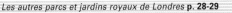

Gauche **The People's Palace** Droite **Clarke's**

TOP10 Où manger

1 The Sugar Club
Le restaurant de Peter
Gordon, qui se veut la synthèse
culinaire du Pacifique, réussit
avec grand succès à harmoniser
des saveurs du monde entier.
Les desserts sont
particulièrement
impressionnants. L'élégance du
décor de bois moderne reflète
celle de la clientèle *(p. 95)*.

2 Clarke's
Très apprécié depuis son
ouverture en 1984, ce restaurant
sert des plats essentiellement
méditerranéens, qui mettent
l'accent sur la cuisine au four et
les rôtis. Découverte de tout un
univers grâce aux menus établis
par la patronne. La carte des vins
met en vedette les vins
californiens *(p. 125)*.

Clarke's, Notting Hill

3 Rasa Samudra
Les currys indiens sont à
l'honneur dans cet endroit où la
cuisine est éblouissante. Les
nouveaux venus auront du mal à
choisir dans le menu, très
original, qui comprend de
délicieux plats de poisson *(p. 111)*.

The Sugar Club, West End

4 Club Gascon
Pour goûter cette cuisine
gauloise inspirée, il vous faut
réserver plusieurs semaines à
l'avance. Les repas, de
composition peu traditionnelle,
sont constitués de 3 ou 4 plats,
choisis parmi 6 catégories de
préparations. Chaque recette est
une rare combinaison de saveurs
(p. 139).

5 The Eagle
Ce pub victorien reconverti,
à la frontière de la City, fut le
premier des « gastropubs » de
Londres. Ses plats
méditerranéens de grande
qualité sont servis depuis une
cuisine ouverte sur la salle.
Choix de plats uniques *(p. 63)*.

6 Nobu
Si les tenues de Gucci n'y
sont pas exigées, vous vous
sentirez mieux si vous les
portez. Un goût impeccable
imprègne l'ensemble, des tables
de chêne à la cuisine japonaise
fabuleuse. Les sushis sont servis
dans des bols laqués, le saké,
dans des bouteilles de bambou.
Pas besoin de réserver pour le
bar à sushis *(p. 117)*.

7 Orrery
Sir Terence Conran, le plus célèbre restaurateur de Londres, fait de cet endroit intime le summum de la perfection et des prix. Le court menu propose une cuisine européenne, d'inspiration française – poisson, bœuf et gibier excellents *(p. 133)*.

8 Rules
Le plus ancien restaurant de Londres (1798), à l'atmosphère Belle Époque, est une institution britannique qui ne se repose pas sur ses lauriers. Pour ses spécialités de gibier, il puise dans les réserves de son propriétaire, John Mayhew *(p. 105)*.

9 Wagamama
Cet établissement en sous-sol est le 1er d'une chaîne de restaurants orientaux, au service rapide et efficace. Les plats japonais y sont servis comme dans une cafétéria, à des clients assis côte à côte *(p. 111)*.

10 St John
Ce grand restaurant près du marché de Smithfield, situé dans un ancien fumoir, sert des variations d'abats et autres plats britanniques traditionnels que les Londoniens du XXIe s. trouvent plutôt audacieux. Les en-cas servis au bar sont bon marché *(p. 139)*.

Wagamama

Restaurants avec vue

1 Oxo Tower
Ce site de la South Bank offre une vue magnifique *(p. 87)*.

2 Vertigo 42
Au 42e étage du plus haut gratte-ciel londonien. ◎ *Tower 42, Old Broad St EC2 • Plan H3 • 020 7877 7842*

3 The People's Palace
Les fenêtres panoramiques du restaurant du Royal Festival Hall donnent sur le fleuve *(p. 87)*.

4 Tate Modern Café : Level 7
Vue panoramique sur la Tamise. Menus différents aux 3 repas. ◎ *Bankside SE1 • Plan R4 • 020 7401 5020*

5 The Portrait
Vues sur Trafalgar Square et Whitehall. ◎ *National Portrait Gallery, St Martin's Pl WC2 • Plan L4 • 020 7312 2490*

6 Blue Print Café
Vue spectaculaire sur London Bridge. ◎ *Butler's Wharf SE1 • Plan H4 • 020 7378 7031*

7 The Bridge
Brasserie moderne près du Millennium Bridge. ◎ *1 Paul's Walk EC4 • Plan G3 • 020 7236 0000*

8 Shakespeare's Globe
Admirez la City à travers des fenêtres à meneaux. ◎ *New Globe Walk SE1 • Plan G4 • 020 7902 1576*

9 Dernier étage de Smiths of Smithfield
Au-dessus d'un vaste entrepôt, la salle de restaurant donne sur les toits *(p. 139)*.

10 Coq d'Argent
Belles vues de la City de ce bar et restaurant français sur jardin. ◎ *1 Poultry EC2 • Plan G3 • 020 7395 5000*

→ *Les autres restaurants* p. **87, 95, 105, 111, 117, 125, 133, 139, 145, 151, 157**

VISITER
LONDRES

LONDRES TOP 10

Gauche **Houses of Parliament** Droite **Shakespeare's Globe**

Westminster, la South Bank et Southwark

 Westminster Abbey, les Houses of Parliament et les Tate Galleries offrent au visiteur un spectacle d'une imposante solennité, dont le Shakespeare's Globe se fait l'écho, non loin du complexe de la South Bank. Le London Eye et d'autres distractions sont proposés autour du County Hall, ancien quartier général du Greater London Council. L'ouverture de deux nouvelles passerelles pour piétons, l'une à Hungerford Bridge, l'autre à la Tate Modern, réunissent les deux rives de la Tamise.

Les sites

1. Westminster Abbey
2. Tate Modern
3. London Eye
4. Houses of Parliament
5. Tate Britain
6. Downing Street
7. Cabinet War Rooms
8. South Bank Complex
9. Shakespeare's Globe
10. Imperial War Museum

Statue de la reine Boadicée, près de la gare de Westminster

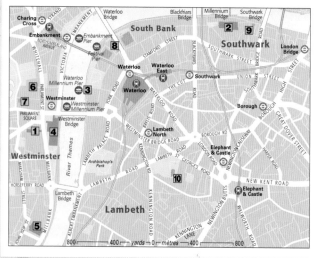

Big Ben, au bout de Whitehall

3 London Eye
La plus haute roue d'observation du monde offre des vues à couper le souffle de la ville et au-delà. En attendant d'embarquer, profitez des attractions du County Hall voisin – London Aquarium, Namco Station et Dali Museum (p. 16-17 et 84).

4 Houses of Parliament
Dans l'ancien palais de Westminster, siègent la Chambre des lords et la Chambre des communes. Lorsque les membres de cette dernière se réunissent, un drapeau de l'Union flotte sur la Victoria Tower. Les séances nocturnes sont indiquées par une lumière sur la Clock Tower – celle qui abrite Big Ben, cloche de 14 tonnes dont le timbre est familier au monde entier (p. 34-35).

1 Westminster Abbey
L'église la plus somptueuse et la plus vénérable de Londres, lieu de couronnements et de mariages royaux et dernière demeure de monarques (p. 32-33).

2 Tate Modern
L'une des galeries d'art contemporaines les plus belles du monde. Un Art Bus gratuit part toutes les 20 min de Sumner Street pour la National Gallery et la Tate Britain (p. 18-19).

5 Tate Britain
Elle abrite les chefs-d'œuvre de l'art britannique de 1500 à nos jours. Regardez en aval du fleuve pour voir le centre des service secrets (MI5), surnommé Thames House, et construit dans une « cage de Faraday » à l'épreuve des micros (p. 20-21).

Big Ben et Westminster Abbey vus du London Eye

6 Downing Street

La résidence et le bureau officiels du Premier ministre britannique sont situés dans une maison construite en 1680 par Sir George Downing (1623-1684), qui lutta en faveur des parlementaires au cours de la guerre civile. L'édifice abrite une salle à manger de cérémonie ainsi que le Cabinet, où un groupe de 20 ministres se réunit régulièrement.

À côté, au n°11, demeure traditionnellement le « chancelier de l'Échiquier » (ministre des Finances). Downing Street est fermé au public depuis 1989 pour des raisons de sécurité. ⚲ *Downing Street SW1 • Plan L5 • Fer. au public*

Le n°10 Downing Street

7 Cabinet War Rooms

Aux jours les plus sombres de la Seconde Guerre mondiale, Winston Churchill et les chefs militaires se réunissaient dans ces pièces qui sont restées telles qu'en 1945, ornées de téléphones aux couleurs codées et protégées par des sacs de

Whitehall et Horse Guards

La rue reliant Parliament Square et Trafalgar Square tire son nom du palais de Whitehall, érigé par Henry VIII en 1532. Il était gardé au nord par des sentinelles, remplacées aujourd'hui par les Horse Guards, dont le détachement entier est relevé tous les matins à 11h (10h le dimanche). Dernière relève de gardes à cheval devant la caserne à 16h.

sable. Visitez avec un audioguide cette cité souterraine où le déroulement de la guerre se décidait sous les bombes. ⚲ *Clive Steps, King Charles Street SW1 • Plan L6 • Ouv. avr.-sept., t.l.j. 9h30-18h ; oct.-mars, t.l.j. 10h-18h • EP*

8 South Bank Complex

Le centre artistique le plus accessible de Londres offre cette atmosphère d'optimisme amical et égalitaire qui présida à sa création dans les années 1950 et 1960. Les trois salles de concert du Royal Festival Hall proposent des programmes variés. De grandes expositions d'arts visuels sont organisées dans la Hayward Gallery. Géré par le British Film Institute, le national Film Theatre propose une abondance de films. Les 3 salles du Royal National Theatre (Olivier, Cottesloe et Lyttleton) se trouvent le long de la Tamise *(p. 56)*. ⚲ *South Bank Centre SE1 • Plan N4*

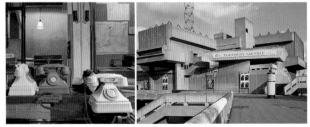

Gauche **Cabinet War Rooms** Droite **Hayward Gallery**

Objets de l'Imperial War Museum

9 Shakespeare's Globe

Assister à une pièce de Shakespeare dans le théâtre du Globe reconstruit est une expérience irremplaçable. Installé sur 3 gradins à ciel ouvert, le public est encouragé à chahuter et à crier comme on le faisait au temps de Shakespeare. En dehors des représentations, les visiteurs de l'exposition voisine bénéficient d'une visite guidée du théâtre par le personnel *(p. 70)*. 🅈 *New Globe Walk, Bankside SE1 • Plan R4*
• Réservations : 020 7401 9919
• Exposition/vi. gui. : mai-sept., t.l.j. 9h-12h ; oct.-avr., t.l.j. 10h-17h • EP

10 Imperial War Museum

Il illustre la technologie des combats et les conséquences sociales de la guerre. On y décrit le rationnement alimentaire, la censure, les précautions contre les bombardements et les stratégies pour garder le moral. Consacrée aux conflits des xxe et xxie s., cette institution, dont les expositions varient, plaira à qui se souvient avec nostalgie de Londres pendant la guerre *(p. 45)*. 🅈 *Lambeth Road SE1 • Plan F5 • Ouv. t.l.j. 10h-18h • EP (EG après 16h30)*
• www.iwm.org.uk

Un jour au fil de l'eau

Le matin

🕙 Commencez par un petit-déjeuner à Waterloo et un aperçu du Marriott Hotel, situé dans l'ancien quartier général du Greater London Council. Traversez Westminster Bridge pour visiter **Westminster Abbey** *(p. 32-33)* et St Margaret's Church.

Empruntez Abingdon Street jusqu'à Lambeth Bridge et retraversez le fleuve. Avant de vous rendre à **Lambeth Palace** *(p. 70)*, prenez un café au délicieux petit établissement de Lambeth Pier Walk le long de l'Albert Embankment pour admirer la vue splendide des **Houses of Parliament** *(p. 81)* de l'autre côté de l'eau.

Déjeunez au restaurant japonais YO! Sushi ou au **fish!** *(p. 87)*, tous deux sur Belvedere Road, derrière le London Eye.

L'après-midi

Longez l'Embankment jusqu'au **South Bank Complex**, en vous arrêtant chez les bouquinistes devant le National Film Theatre. Regardez les magasins d'artisanat de **Gabriel's Wharf** *(p. 85)* en marchant jusqu'aux galeries de décoration de l'**Oxo Tower** *(p. 84)* et prenez l'ascenseur jusqu'au sommet pour un panorama de la ville.

Reprenez l'Embankment jusqu'à la **Tate Modern** *(p. 18-19)* – lieu merveilleux où vous pouvez passer le reste de l'après-midi. Buvez du thé au **Café : Level 7** en savourant la vue *(p. 77)*. Plus loin, le long du fleuve, l'**Anchor** *(p. 66)* est un pub agréable pour se détendre et dîner.

Gauche **Le County Hall** Droite **Oxo Tower**

TOP 10 Autres visites

1 Clink Exhibition
La première prison de Londres abrite maintenant une petite exposition sur le crime et le châtiment. ◎ *1 Clink Street SE1 • Plan G4 • Ouv. t.l.j. 10h-18h • EP*

2 London Aquarium
Requins et raies évoluent au sein d'environnements recréés dans l'un des plus vastes aquariums d'Europe *(p. 68)*. ◎ *County Hall SE1 • Plan N6 • Ouv. t.l.j. 10h-18h • EP*

3 Dalí Universe
Exposition permanente de 500 œuvres du grand surréaliste espagnol, Salvador Dalí (1904-1989). ◎ *County Hall SE1 • Plan N6 • Ouv. t.l.j. 10h-17h30 • EP*

4 BFI London IMAX
Écran de cinéma géant montrant des films saisissants sur la nature. ◎ *South Bank SE1 • Plan N4 • Ouv. t.l.j. (heures variables) • EP*

5 Namco Station
Apprécié des enfants, ce centre propose salles de jeux, autos tamponneuses et bowling. ◎ *County Hall SE1 • Plan N6 • Ouv. 10h-minuit*

6 Florence Nightingale Museum
Musée fascinant consacré à la vie et à l'œuvre de la célèbre infirmière du XIXe s. ◎ *2 Lambeth Palace Road SE1 • Plan N6 • Ouv. lun.-ven. 10h-17h, sam. et dim. 11h30-16h30 • EP*

7 Golden Hinde
Réplique du bateau dans lequel Francis Drake fit le tour du monde de 1577 à 1580. ◎ *St Mary Overie Dock SE1 • Plan G4 • Ouv. t.l.j. 9h-crépuscule • EP*

8 The Long View of London
Un jour dans la vie du London Bridge en 8 min, plus une exposition sur Londres et la City. ◎ *Montague Close SE1 • Plan G4 • Ouv. lun.-sam. 10h-18h, dim. 11h-17h • EP*

9 Rose Theatre Exhibition
Une animation en son et lumière raconte l'histoire de ce théâtre shakespearien, le premier qui fut construit à Southwark, en 1587. ◎ *56 Park Street SE1 • Plan G4 • Ouv. t.l.j. 10h-17h • EP*

10 Oxo Tower
Empruntez l'ascenseur jusqu'au sommet pour admirer de beaux panoramas de la plate-forme d'accès gratuit à côté du restaurant *(p. 77)*. Magasins et galeries aux 1er et 2e étages. ◎ *Bargehouse Street SE1 • Plan P4 • Ouv. t.l.j.*

Gauche **Gabriel's Wharf** Centre **Flèches, South Bank centre** Droite **Galerie Llewellyn Alexander**

📑10 Shopping

1 Parliamentary Bookshop
Achetez dans cette librairie parlementaire le programme du jour, des gravures ou autres souvenirs. 🆂 *1 Parliament SW1 • Plan L6*

2 Lower Marsh
Autrefois le marché le plus étendu de Londres, on y trouve nourriture, quincaillerie, musique, vêtements. 🆂 *Lower Marsh SE1 • Plan P6 • Ouv. lun.-ven le matin*

3 Llewellyn Alexander
Cette galerie d'art propose des expositions temporaires de qualité, surtout en été. 🆂 *124 The Cut SE1 • Plan O5 • Ouv. lun.-sam. 10h-19h30 • EG*

4 South Bank
Concerts gratuits à la fois au Royal Festival Hall et au Royal National Theatre. Boutiques vendant des livres et de la musique. Bouquinistes sous Waterloo Bridge. 🆂 *South Bank SE1 • Plan N4*

5 Gabriel's Wharf
Verrerie décorée à la main, mode, décoration, bijoux et céramiques. 🆂 *56 Upper Ground SE1 • Plan P4*

6 Bankside Gallery
Galerie des Sociétés royales des aquarellistes et des peintres-graveurs, qui vend les œuvres exposées et possède une boutique. 🆂 *48 Hopton Street SE1 • Plan R4 • Ouv. mar 10h-18h, mer.-ven 10h-17h, dim. 13h-17h • EP*

7 Oxo Tower Wharf
Deux étages sont consacrés aux créateurs de haute couture, aux bijoux, à la décoration, ainsi qu'aux peintures, photographies et céramiques de « the gallery@oxo ». 🆂 *Bargehouse Street SE1 • Plan P4 • Ouv. t.l.j.*

8 The Furniture Union
Jetez un coup d'œil sur les dernières créations du design britannique dans les Bankside Lofts, en face de la Tate Modern. 🆂 *Bankside Lofts, 65a Hopton Street SE1 • Plan R4*

9 Vinopolis
La boutique stocke plus de mille variétés de vins, dont on peut en goûter quelques-uns dans le cadre d'une visite guidée de cette exposition sur la viticulture. 🆂 *1 Bank End SE1 • Plan G4 • Ouv. lun.-ven. 11h-18h, sam. 11h-20h, dim. 11h-18h • EP*

10 Borough Market
Dans ce marché couvert, les meilleurs fromages, pains et chocolats du pays sont en vente. 🆂 *8 Southwark Street SE1 • Plan R4 • Ouv. ven. 12h-18h, sam 9h-16h.*

Les autres boutiques **p. 170**

Gauche **The Anchor** Droite **Young Vic Café**

Pubs et cafés

1 Westminster Arms et Storey's Wine Bar

Le « Parliament » possède ses propres bars et cantines, mais les politiciens s'égarent parfois dans le Big Ben Bar de ce pub, ou dans le bar à vin voisin.
◈ 9 Storeys Gate SW1 • Plan L6

2 Footstool

Bons snacks au sous-sol de St John's, à Smith Square.
◈ St John's, Smith Square SW1 • Plan E5

3 Fire Station

Cette ancienne caserne de pompiers caverneuse, proche de Waterloo Station, est devenue un bar-restaurant populaire.
◈ 150 Waterloo Road SE1 • Plan P5

4 Young Vic Café

Le bar-restaurant Konditor and Cook du théâtre Young Vic, ouvert toute la journée, sert également de bar d'entracte. Il offre un menu inventif et une chance d'apercevoir des stars.
◈ 66 The Cut SE1 • Plan Q5

5 The Anchor, Bankside

Pub ancien confortable avec terrasse en été. À l'étage, on sert une cuisine anglaise traditionnelle.
◈ 34 Park Street SE1 • Plan Q4

6 Vinopolis Wine Wharf

Le bar de ce temple moderne de la viticulture propose une abondante carte des vins, plus 20 variétés de champagne servies au verre.
◈ Stoney Street SE1 • Plan G4

7 Globe Café au Shakespeare's Globe

Merveilleusement situé au 1er étage de ce théâtre shakespearien bien restauré, il offre une belle vue de St Paul's (p. 83). ◈ New Globe Walk SE1 • Plan R4

8 Market Porter

Pub de marché historique, ouvrant le matin entre 6h et 8h30 pour les marchands et les couche-tard. ◈ 9 Stoney Street SE1 • Plan G4

9 Borough Café

L'un des rares cafés d'ouvriers du centre de Londres, où des serveuses chaleureuses servent des plats consistants et du thé « industriel ». ◈ 11 Park Street SE1 • Plan G4

10 George Inn

Seule auberge de relais de chevaux encore debout à Londres, aux pièces ornées de boiseries ordinaires Bars à l'étage. Menu des bars au déjeuner et repas à la carte au dîner. Terrasse du jardin agréable l'été. ◈ 57 Borough High St SE1 • Plan G4

Les autres pubs p. 62-63

Tas, restaurant turc

 Restaurants

1 The Cinnamon Club
Cuisine indienne inventive servie dans un décor de club confortable. ◎ *The Old Westminster Library, Great Smith Street SW1* • *Plan E5* • *020 7517 9898* • *££££*

2 Atrium
Ce restaurant spacieux et lumineux, fréquenté par les politiciens, sert des plats tels que du risotto ou des nouilles thaïes. Choix appétissant de puddings. ◎ *4 Millbank SW1* • *Plan E6* • *020 7233 0032* • *££££*

3 People's Palace
Restaurant spacieux aux nappes de lin, dont les fenêtres panoramiques surplombent la Tamise. Cuisine européenne moderne et service attentif. ◎ *Level 3 Royal Festival Hall SE1* • *Plan N4* • *020 7928 9999* • *Menus déjeuner et avant-concert* • *£££*

4 Chez Gerard
Entre Waterloo Station et le London Eye, ce restaurant d'une chaîne française sert des steaks-frites imbattables. ◎ *The White House 9 Belvedere Road SE1* • *Plan N5* • *020 7202 8470* • *£££*

5 Livebait
Situé en face du Young Vic Theatre, il fait partie d'une chaîne de restaurants de poisson. Pour plus de variété, vous pouvez choisir 2 entrées. ◎ *43 The Cut SE1* • *Plan P5* • *020 7928 7211* • *Menus déjeuner, avant et après-théâtre* • *£££*

6 Tas
Deux établissements d'un restaurant turc moderne et pourtant bon marché. ◎ *33 The Cut SE1. Plan P5. 020 7928 2111* • *72 Borough High St SE1. Plan G4. 020 7403 7277* • *££*

7 Gourmet Pizza Company
Exquise baraque au bord de l'eau. ◎ *Gabriel's Wharf SE1* • *Plan P4* • *020 7928 3188* • *£*

8 Oxo Tower Restaurant Bar and Brasserie
Plats actuels délicieux servis dans le restaurant. Live jazz au bar *(p. 77)*. ◎ *Oxo Tower Wharf SE1* • *Plan G4* • *020 7803 3888* • *££££* • *Brasserie : £££*

9 Cantina Vinopolis
Haute salle voûtée servant une excellente cuisine française et italienne. ◎ *1 Bank End SE1* • *Plan P4* • *020 7940 8333* • *£££*

10 fish!
Plats de poisson inventifs. Restaurants modernes. ◎ *Cathedral St SE1. Plan G4* • *3b Belvedere Rd SE1. Plan N5* • *020 7234 3333* • *£££*

Remarque : Sauf indication contraire, tous les restaurants acceptent les cartes de paiement et proposent des plats végétariens.

Gauche **Fontaine, Trafalgar Square** Centre **Old Compton Street** Droite **Statue de Leicester Square**

Soho et le West End

Lorsque l'on veut sortir le soir, on se dirige vers le West End londonien. Les banlieusards arrivent par l'un des derniers trains et se dirigent vers les bars et lieux de concert, sachant qu'ils ne rentreront pas avant l'aube. Cette partie de Londres abrite les grands théâtres de Shaftesbury Avenue et de Charing Cross Road, les cinémas de Leicester Square et surtout Soho, qui s'anime avec la nuit. Mais les noctambules n'ont pas l'exclusivité du quartier : Trafalgar Square propose la National Gallery, la National Portrait Gallery et des concerts gratuits à l'heure du déjeuner à St-Martin-in-the-Fields.

Les sites

1. National Gallery
2. National Portrait Gallery
3. Trafalgar Square
4. Piccadilly Circus
5. Chinatown
6. Soho Square
7. Old Compton Street
8. Berwick Street Market
9. London Trocadero
10. Leicester Square

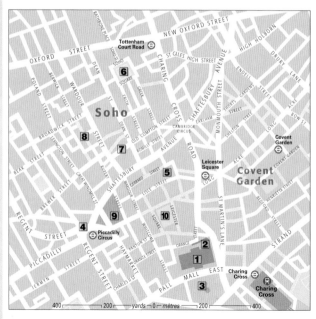

Statue d'Éros, Piccadilly Circus

National Gallery
p. 12-13

National Portrait Gallery
p. 14-15

Trafalgar Square
Trafalgar Square, où se dressaient autrefois les Écuries royales, est un lieu où l'on se donne rendez-vous et où le public se rassemble à l'occasion. Du haut de la colonne de 50 m (gardée à sa base par quatre lions majestueux, œuvre de Edwin Landseer), l'amiral Nelson, qui vainquit la flotte de Napoléon à Trafalgar en 1805, regarde les Houses of Parliament, au bout de Whitehall. Du côté nord, s'élèvent la National Gallery *(p. 12-13)* et l'église de St-Martin-in-the-Fields *(p. 48)*. Au sud-ouest, Admiralty Arch mène à Buckingham Palace. ◈ *WC2 • Plan L4*

Piccadilly Circus
Conçu par John Nash, le Circus ponctue l'extrémité d'une rue nommée Piccadilly. Sa statue d'Éros, érigée à la mémoire du duc de Shaftesbury, est l'un des monuments les plus célèbres de Londres. On s'y donne rendez-vous. Piccadilly Circus est également renommé pour ses enseignes au néon colorées qui indiquent l'entrée du quartier de distractions de la ville. Du côté sud, le Criterion Theatre se dresse près de Lillywhite's, magasin de sport réputé. ◈ *W1 • Plan K3*

Chinatown
Sur Gerrard Street, des porches orientaux marquent l'entrée de Chinatown, qui, depuis les années 1950, rassemble les habitants chinois de Londres et abrite un supermarché asiatique, des boutiques de cadeaux et d'accessoires d'arts martiaux. Le dimanche, flânez parmi les éventaires de légumes exotiques. Fin janvier ou début février, assistez au Nouvel An chinois, très spectaculaire. Chinatown comporte nombre d'excellents restaurants. ◈ *Rues autour de Gerrard Street, W1 • Plan L3*

Gauche **Admiralty Arch** Droite **Dragon chinois, Chinatown**

Visiter Londres – Soho et le West End

6 Soho Square

Cette place, où règne une atmosphère chaleureuse, s'anime à l'heure du déjeuner, après le travail ou le week-end, surtout en été. Les édifices qui la bordent, dont l'adresse est la plus chic de Londres, sont occupés par des compagnies cinématographiques. Du côté nord s'élève une église construite pour les protestants français, selon une charte accordée par Edward VI en 1550. St Patrick's, du côté est, propose parfois des récitals de musique. Au coin de Greek Street, se dresse la House of St Barnabas, fondation caritative abritée dans un bâtiment du XVIIIe s., occasionnellement ouvert au public. ◎ Plan K2

7 Old Compton Street

Quartier chaud de Londres, où l'industrie du sexe est florissante, la rue principale de Soho abrite des pubs gays (le Compton et l'Admiral Duncan). Les noctambules se déversent dans les rues Frith, Greek et Wardour où cafés, restaurants, pubs et clubs ont des terrasses sur rue, souvent chauffées par des radiateurs à gaz en hiver. Certains établissements sont ouverts 24h sur 24. Le *fish-and-*

Abri imitation Tudor, Soho Square

Nelson's Column

La haute colonne érigée au centre de Trafalgar Square, est surmontée d'une statue de Horatio, vicomte Nelson (1758-1805). Grand héros naval, il eut une liaison durable avec la célèbre Lady Hamilton et mourut frappé par une balle, à l'heure de son plus grand triomphe (la victoire sur les flottes française et espagnole près de Trafalgar, cap de l'Espagne méridionale).

chips Alpha One ne ferme pas avant 1h ou 2h. Lorsque le spectacle du Prince Edward Theatre se termine, la foule se répand dans tout le quartier. La Patisserie Valerie sert des *breakfasts* délicieux. Certains magasins de longue date, comme I Camisi, traiteur italien, ou Vintage House (qui propose 700 whiskys différents), donnent au quartier son atmosphère de village. ◎ Plan L2

8 Berwick Street Market

Ce marché en plein air existe depuis le XVIIIe s. Fruits et légumes sont restés peu coûteux. Quelques magasins intéressants comme Borovick's qui vend de magnifiques tissus. L'ambiance animée et chaleureuse résonne de l'accent *cockney* (parler populaire londonien). Les

Gauche **Old Compton Street** Droite **Berwick Street Market**

Bar Italia, Frith Street

marchands négocient souvent selon l'ancien système monétaire. ⊗ *Plan K2 • Ouv. 6 j. par sem. vers 9h*

9 London Trocadero

Affrontez cette jungle électronique de jeux vidéo et de sauts dans la réalité virtuelle. Autos tamponneuses, simulateur de courses de voitures, bowling, restaurants à thème, bars, magasins et cinémas remplissent l'espace, ainsi que HMV, un mégastore de disques. Le restaurant Planet Hollywood jouxte le complexe. ⊗ *Picadilly Circus W1 • Plan K3 • Ouv. t.l.j. 10h-1h*

10 Leicester Square

Lorsque cette place fut tracée, en 1670, c'était une adresse luxueuse très en vogue. Parmi les célébrités du XVIIe et du XVIIIe s. qui y vécurent, citons Isaac Newton, Joshua Reynolds et William Hogarth. Aujourd'hui situé au cœur du quartier de distractions du West End londonien, ce lieu abrite les cinémas Empire et Art Deco Odeon, où se déroulent des premières de gala, ainsi qu'un kiosque délivrant des billets de théâtre à prix réduit. ⊗ *Leicester Square W1 • Plan L3*

Promenade dans le West End

Le matin

⏰ Commencez par **Trafalgar Square** *(p. 89)* à 10h, lorsque la fontaine se met en marche. Vous pourriez passer la journée à la **National Gallery** *(p. 12-13)*, mais contentez-vous d'y rester 1h, dans la Sainsbury Wing, par exemple.

☕ Pour la pause café, rendez-vous au Portrait Restaurant de la **National Portrait Gallery** *(p. 14-15)*, qui offre de belles vues sur Trafalgar Square.

Empruntez Charing Cross Road jusqu'à Leicester Square, qui abrite des statues de Shakespeare et de Charlie Chaplin. Dirigez-vous vers **Piccadilly Circus** *(p. 89)*, ses lumières et sa célèbre statue d'Éros, puis remontez Shaftesbury Avenue, centre du quartier des théâtres. Tournez dans **Chinatown** *(p. 89)* aux boutiques et restaurants exotiques.

🍴 Le déjeuner à Chinatown est incontournable. Savourez l'animation du Golden Dragon, sur Gerrard Street, ou le calme de l'excellent Joy King Lau, Leicester Street, presque au carrefour de Lisle Street.

L'après-midi

Consacrez votre après-midi au pittoresque **Soho**. Achetez des fruits frais à l'un des éventaires du **Berwick Street Market**, puis flânez sur Wardour Street, quartier de l'industrie du cinéma. Offrez-vous une récompense à la **Patisserie Valerie, Old Compton Street** *(p. 94)*.

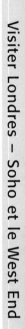

Gauche **Façade de l'Algerian Coffee House** Droite **Cafetières de l'Algerian Coffee House**

Shopping

1 Ann Summers
À Soho, on n'est pas forcé d'être sage. Le sex-shop Ann Summers y est installé depuis si longtemps qu'il se remarque à peine, mais ses produits sont très audacieux. ✆ 79 Wardour Street W1 • Plan K3

2 Merc
À Carnaby Street, on achète encore des vêtements issus de patrons originaux des années 1960. ✆ 10 Carnaby Street W1 • Plan J3

3 Foyles
Cet ancêtre de toutes les librairies, dans une rue qui en est remplie, est presque devenu une institution. Grand choix d'ouvrages. ✆ 113–19 Charing Cross Road WC2 • Plan L2

4 Tower Records
Vaste magasin de disques ouvert jusqu'à minuit tous les jours, sauf le dimanche (18h). ✆ 1 Piccadilly Circus W1 • Plan K3

5 Milroy's Whisky
Dans le West End, ce spécialiste du whisky fait goûter différents malts dans son petit bar. ✆ 3 Greek Street W1 • Plan L2

6 Contemporary Ceramics
De très belles céramiques britanniques, produites par l'association des potiers-artisans, y sont vendues. Travail de qualité et prix raisonnables. ✆ 7 Marshall Street W1 • Plan K2

7 Anything Left-Handed
Ciseaux, pendules, livres, boomerangs… Dans un monde de droitiers, il fait bon trouver une boutique où les gauchers sont à l'honneur. ✆ 57 Brewer Street W1 • Plan K3

8 Fratelli Camisa
Éminent traiteur de Londres, célèbre pour ses pâtes fraîches. On se croirait dans une épicerie italienne des années 1950. ✆ 61 Old Compton Street W1 • Plan K3

9 Algerian Coffee House
Ouverte en 1887, cette boutique, la plus ancienne de Soho, offre un merveilleux arôme qui se dégage de ses nombreuses variétés de café, à côté de thés spéciaux et d'infusions. ✆ 52 Old Compton Street W1 • Plan K3

10 The Witch Ball
Magnifiques affiches et gravures anciennes dans ce magasin entouré de boutiques similaires et de librairies. ✆ 2 Cecil Court WC2 • Plan L3

Les autres boutiques p. 170

Gauche **Le restaurant YO! Sushi** Centre **Affiche du Café Latino** Droite **Façade du Café Latino**

🔟 Lieux ouverts tard

1 Ronnie Scott's
La salle de jazz suprême (p. 58). ✆ 47 Frith Street W1 • Plan L2 • 020 7439 0749

2 Atlantic Bar and Grill
Bar à cocktails et restaurant servant une cuisine européenne moderne. Ouvert jusqu'à 3h du lun. au sam. ✆ 20 Glasshouse Street W1 • Plan K3

3 Café Boheme
Sandwichs, salades et plats légers servis sans interruption le vendredi et le samedi (jusqu'à 3h du dimanche au jeudi). ✆ 13 Old Compton Street W1 • Plan L2

4 Cork and Bottle
Ce bar en sous-sol propose un grand choix de vins et de champagnes près de Leicester Square. Ouvert jusqu'à minuit du lundi au samedi. ✆ 46 Cranbourn Street WC2 • Plan L3

5 Old Compton Café
Rempli de monde tous les soirs, ce bar attrayant est ouvert sans interruption. Plats chauds et sandwichs permettent aux clients de faire provision d'énergie. ✆ 34 Old Compton Street W1 • Plan L2

6 Break for the Border
Tex-mex et musique western pour l'ambiance. Au-dessous, un night-club, le Borderline, reste ouvert jusqu'à 3h du jeudi au samedi (p. 59). ✆ Goslett Yard WC2 • Plan L2

7 Café Latino
Ouvert jusqu'à 1h, ce club sur 3 niveaux attire les buveurs de cocktails et les amateurs de plats espagnols et sud-américains. Si l'atmosphère devient étouffante, soufflez un peu au 1er étage. ✆ 25 Frith Street W1 • Plan L2

8 Jazz After Dark
Rien ne s'y passe avant 21h, mais le blues and soul se poursuit jusqu'à 2h du lundi au jeudi et jusqu'à 3h le vendredi et le samedi. Poulet cajun et moussaka. ✆ 9 Greek Street, W1 • Plan L2

9 YO! Below
Bière au robinet dans le confortable sous-sol de ce restaurant japonais high-tech qui sert jusqu'à 1h. Essayez un saké parfumé avec vos sushis. ✆ 52 Poland Street W1 • Plan K2

10 Pizza Express
L'un des 80 points de vente de cette chaîne, ouvert jusqu'à minuit. ✆ 10 Dean Street W1 • Plan K2

Les autres scènes musicales p. 58-59

Gauche **The Coach and Horses** Droite **Patisserie Valerie**

∄10 Pubs et cafés

1 Patisserie Valerie
Café célèbre de Soho, proposant un large choix de gâteaux et pâtisseries délicieux : on peut y déguster des croissants frais au petit-déjeuner. Les fumeurs y sont autorisés, mais il y a une zone non fumeurs. ✆ 44 Old Compton St W1 • Plan L3

2 Maison Bertaux
Ce petit coin de Paris au cœur de Soho attire une clientèle fidèle qui apprécie son café et ses gâteaux divins. ✆ 36 Greek St W1 • Plan L3

3 French House
Petit établissement avec bar, autrefois hanté par Francis Bacon (1909-1992), où la conversation s'établit aisément entre les clients. ✆ 49 Dean Street W1 • Plan L3

4 Bar Italia
Au bar ou sur la terrasse, savourez le meilleur café italien de Londres. Un grand écran au fond de la salle montre des matchs de football italiens. Ouvert sans interruption.
✆ 22 Frith Street W1 • Plan L2

5 The Coach and Horses
Lieu longtemps fréquenté par des artistes et gens de mauvaise réputation, tels que Jeffrey Barnard, chroniqueur ravagé par l'alcool, plus tard mis en scène dans Jeffrey Barnard is Unwell (J.B. ne va pas bien). ✆ 29 Greek Street W1 • Plan L2

6 The Admiral Duncan
Bar animé d'Old Compton Street, parmi les dizaines d'établissements gays du quartier. ✆ 54 Old Compton St W1 • Plan L3

7 EAT
Bars d'une excellente chaîne servant sandwichs variés, soupes, sushis et salades. ✆ 16A Soho Square W1 • Plan L2

8 Beatroot
Petit restaurant végétarien proposant salades délicieuses et plats chauds dans des boîtes. ✆ 92 Berwick St W1 • Plan K3

9 The Cork and Bottle
Bar à vin en sous-sol des années 1970 avec musique d'époque, plats bistrot et bonne carte des vins (p. 93). ✆ 44–6 Cranbourn St WC2 • Plan L3

10 The Dog and Duck
Petit pub convivial aux murs victoriens carrelés proposant un choix de bières britanniques (p. 62). ✆ 18 Bateman St W1 • Plan L2

Catégories de prix

Pour un repas avec	**£**	moins de 15 £
entrée, plat et dessert,	**££**	de 15 à 25 £
une demi-bouteille	**£££**	de 25 à 35 £
de vin, taxes et	**££££**	de 35 à 50 £
service compris.	**£££££**	plus de 50 £

Gauche **The Sugar Club** Droite **Tokyo Diner**

🔟 Restaurants

1 Tokyo Diner
Restaurant japonais bon marché près de Leicester Square, servant nouilles, currys japonais et donburi. ✆ *Newport Place WC2 • Plan L3 • 020 7287 8777 • PAH • £*

2 The Lindsay House
Restaurant situé dans une belle maison du XVIIIe s. Excellente cuisine britannique et desserts délicieux. ✆ *21 Romilly St W1 • Plan L3 • 020 7439 0450 • PAH • £££££*

3 Incognito
Solide nourriture française, transcendée par l'un des meilleurs chefs de Londres, Nico Ladenis. ✆ *117 Shaftesbury Ave WC2 • Plan L3 • 020 7836 8866 • Menus déjeuner et avant-théâtre • ££££*

4 Harbour City
Dans ce restaurant cantonais, il vous suffit de dire combien vous voulez dépenser pour le repas et les menus vous sont proposés en conséquence. ✆ *46 Gerrard St W1 • Plan L3 • 020 7439 7859 • ££*

5 Criterion Brasserie
Endroit fabuleux où se restaurer, en particulier au déjeuner : les plats français bon marché paraissent encore plus délicieux dans ce décor de bois, de marbre et de dorures. ✆ *224 Piccadilly W1 • Plan K3 • 020 7930 0488 • Menus déjeuner et avant-théâtre • ££££*

6 L'Odéon
Cuisine française délicieuse dans ce vaste restaurant à l'étage. ✆ *65 Regent St W1 • Plan K3 • 020 7287 1400 • Menus déjeuner et avant-théâtre • ££££*

7 J Sheekey
Une touche d'élégance londonienne. Poisson, huîtres, homard. ✆ *28–32 St Martin's Court WC2 • Plan L3 • 020 7240 2565 • ££££*

8 Itsu
Restaurant oriental dont les plats originaux défilent devant vous, sur un tapis roulant. ✆ *103 Wardour St • Plan K3 • 020 7479 4794 • ££*

9 Busaba Ethai
Restaurant thaï branché, récemment ouvert. ✆ *110 Wardour St W1 • Plan K2 • 020 7255 8686 • ££*

🔟 The Sugar Club
Décor moderne minimal et cuisine post-moderne dans ce restaurant à la mode *(p. 76)*. ✆ *21 Warwick Street W1 • Plan K3 • 020 7437 7776 • PAH • ££££*

Remarque : Sauf indication contraire, tous les restaurants acceptent les cartes de paiement et proposent des plats végétariens.

Gauche **Piazza et marché central de Covent Garden** Droite **Somerset House**

Covent Garden

ovent Garden, l'un des quartiers les plus animés de Londres, est un lieu très apprécié des Londoniens comme des visiteurs. Il s'orne de la première place tracée dans la capitale, conçue au XVIIe s. par Inigo Jones et récemment parachevée par l'ajout de la Royal Opera House, blanche et impérieuse. En dépit de cette grandeur, les rues environnantes gardent un petit air convivial, en particulier autour de Neal's Yard et Endell Street. Au sud de Covent Garden se dresse une nouvelle institution, Somerset House, qui abrite trois galeries majeures, dont la Courtauld Gallery. Pour mieux admirer l'ensemble imposant érigé au bord de l'eau, pénétrez par l'Embankment.

10 Les sites

1. The Piazza et Central Market
2. Royal Opera House
3. Courtauld Gallery
4. Somerset House
5. Photographers' Gallery
6. Theatre Museum
7. London Transport Museum
8. Neal's Yard
9. St Paul's Church
10. Theatre Royal, Drury Lane

Clowns à Covent Garden

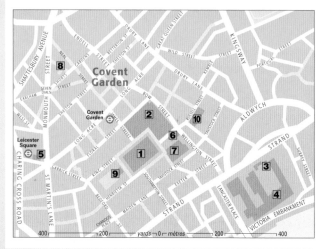

Pages précédentes **Her Majesty's Theatre**

Magasins et cafés dans l'ancien marché couvert

1 The Piazza et Central Market

Pendant 300 ans, Covent Garden fut un marché de fruits, de légumes et de fleurs – immortalisé par la comédie musicale *My Fair Lady*. En 1980, les halles victoriennes, aux toits de fer et de verre, furent transformées en un marché moderne, entouré de cafés et de bars, et bénéficiant de régulières animations de rue.
◊ *WC2 • Plan M3*

2 Royal Opera House

Cet édifice impressionnant abrite les compagnies du Royal Opera et du Royal Ballet. Le théâtre néoclassique actuel, conçu en 1858 par E. M. Barry, s'orne d'une frise de portique issue du bâtiment précédent, détruit par le feu. L'Opera House s'est étendu jusque dans le charmant Floral Hall, qui faisait autrefois partie du marché de Covent Garden et comporte aujourd'hui un bar à champagne.
◊ *Bow Street WC2 • Plan M2*
• *Ouv. aux visiteurs 10h-15h30*
• *Représentations : p. 56*

3 Courtauld Gallery

Fondée en 1932 pour enseigner l'histoire de l'art européen, la Courtauld fait partie du plus ancien institut de Grande-Bretagne. Situées dans les bâtiments nord de Somerset House *(ci-dessous)*, les galeries sont riches en œuvres impressionnistes. Peintures anglaises du xxe s. Chaque mardi à 13h15, une discussion est organisée autour d'un tableau.
◊ *Strand WC2 • Plan N3 • Ouv. t.l.j. 10h-16h, dim. 12h-18h • EP*

4 Somerset House

Cet ancien palais au bord de l'eau, qui abrita ensuite le Navy Board, accueille maintenant le Civil Service. Il est en grande partie ouvert au public. Outre la Courtauld Gallery *(ci-dessus),* il comporte la collection Gilbert d'arts décoratifs et les salles de l'Hermitage, qui exposent des tableaux prêtés par le musée de l'Hermitage de Saint-Pétersbourg. ◊ *Strand WC2 • Plan N3 • Ouv. t.l.j. 10h-18h • EP*

Gauche **Animations de rue à Covent Garden** Droite *Platée,* **spectacle du Royal Opera**

5 Photographers' Gallery

Les salles principales de cette importante galerie photographique se trouvent au n°8, qui abrite également une librairie. Le n°5, où vivait autrefois le peintre Joshua Reynolds, comporte un lieu d'exposition, un café et une salle de vente proposant des photographies d'époque, modernes et contemporaines.
🔊 5 & 8 Gt Newport Street WC2 • Plan L3 • Ouv. lun.-sam.11h-18h, dim. 12h-18h • EG

Theatre Museum, Covent Garden

6 Theatre Museum

En plein cœur du quartier des théâtres, ce musée organise expositions et animations, comprenant des ateliers de costumes et des démonstrations de maquillage. Les galeries illustrent l'évolution du théâtre britannique depuis l'époque de Shakespeare. Effectuez une visite guidée du musée et du Theatre Royal (p. 49). 🔊 Russell Street WC1 • Plan M3 • Ouv. mar.-dim. 10h-18h • EP • www.theatremuseum.org

7 London Transport Museum

Des créateurs britanniques ont travaillé pour le musée des Transports, qui expose leurs affiches et accessoires. Admirez les véhicules qui ont desservi la ville pendant deux siècles. La librairie propose bus, trains et taxis miniatures, ainsi que le célèbre logo du métro, figurant sur une foule d'objets (p. 49). 🔊 The Piazza WC2 • Plan M3 • Ouv. sam.-jeu. 10h-18h, ven. 11h-18h • EP

8 Neal's Yard

Cette délicieuse enclave pleine de couleurs offre au regard des ateliers d'artistes et des vitrines, des bâtiments fleuris et des cascades de plantes ornant les murs de brique. C'est le Londres alternatif – aliments complets et médecines douces, massages, acupuncture et travail sur soi. Essayez le pain et les gâteaux bio de la Neal's Yard

Gauche **London Transport Museum** Droite **Theatre Royal, Haymarket**

Neal's Yard, Covent Garden

Bakery et laissez-vous éblouir par la variété de fromages anglais de la Neal's Yard Dairy. ✆ *Neal Street WC2 • Plan M2*

9 St Paul's Church
Inigo Jones érigea cette église (baptisée « église des acteurs ») dont le portique principal, tourné vers l'est, donne sur la Piazza, et dont l'autel est situé à l'ouest. Le clergé réprouvant cette disposition, l'autel fut changé de place. L'entrée se fait par le portique ouest, celui de l'est étant restreint à un rôle décoratif. ✆ *Bedford Street WC2 • Plan M3*

10 Theatre Royal, Drury Lane
Ce théâtre explique pourquoi Drury Lane est le symbole de la scène londonienne. Son entrée magnifique est prolongée par un escalier grandiose menant à la salle assez vaste pour accueillir des productions telles que *South Pacific, My Fair Lady, Hello Dolly* et *Miss Saigon*. Le premier théâtre érigé sur ce site fut construit en 1663 par Charles II dont la maîtresse, Nell Gwynne, était montée sur les planches. ✆ *Catherine Street WC2 • Plan M2 • Vi. gui.*

Promenade dans Covent Garden

Le matin

🕐 Prenez le métro jusqu'à Leicester Square et dégustez un café au Arts Theatre avant d'admirer la dernière exposition de la Photographers' Gallery toute proche.

Remontez Monmouth Street jusqu'à Seven Dials, cadran solaire où se rejoignent 7 rues. Flânez dans le marché et devant les vitrines de Earlham Street et continuez sur Monmouth Street jusqu'à la petite entrée de **Neal's Yard**. Achetez du savon chez l'apothicaire. Visitez **Covent Garden Piazza** *(p. 99)* pour voir les musiciens ambulants devant **St Paul's Church**, élégante église d'Inigo Jones. Entrez dans l'édifice avant d'aller déjeuner au restaurant du **Royal Opera House** *(p. 99)*, offrant des vues magnifiques.

L'après-midi

Quittez la Piazza via Russell Street, en passant devant le **Theatre Museum**, puis descendez Wellington Street jusqu'au Strand. Traversez et tournez à gauche vers **Somerset House**, qui abrite la **Courtauld Gallery** *(p. 99)*. Commencez la visite par les collections impressionnistes et post-impressionnistes. Détendez-vous près des fontaines de la cour ou au River Terrace Café avant d'aller regarder la collection Gilbert d'objets d'arts décoratifs. Pour terminer la journée, retraversez le Stand pour savourer un thé dans le splendide Palm Court du **Waldorf Hotel** *(p. 177)*.

Gauche **Animations de rue, Covent Garden** Droite **Globe surmontant le London Coliseum**

🔟 Autres visites

1 Distractions gratuites
Chaque jour, de 8h à 22h, des animations de rue ont lieu sur la Piazza ; chanteurs d'opéra ou musiciens classiques jouent autour du Central Market. ◈ *WC1 • Plan M3*

2 The Sanctuary
Journée hédoniste conseillée dans ce centre de remise en forme féminin – piscines, jacuzzis, saunas et solarium. ◈ *12 Floral Street WC2 • Plan M3 • Ouv. dim.-mar 9h30-18h, mar.-ven 9h30-22h, sam. 10h-20h • EP*

3 Africa Centre
Outre un programme de musique africaine et jamaïcaine, ce centre abrite un restaurant, un bar et une boutique exotique. ◈ *38 King Street WC2 • Plan M3*

4 Victoria Embankment Gardens
L'été, concerts en plein air dans ces beaux jardins au bord de l'eau. ◈ *WC2 • Plan M4*

5 Savoy Hotel
Savourez un thé anglais traditionnel dans le Thames Foyer de ce grand hôtel ancien *(p. 70)*. ◈ *Strand WC2 • Plan M3*

6 London Coliseum
Construit en 1904, cet édifice, qui abrite l'English National Opera, a conservé son parfum Belle Époque – angelots dorés et rideaux rouges dans le foyer *(p. 56)*. ◈ *St Martin's Lane WC2 • Plan L3*

7 Distractions sur l'eau
Près de l'Embankment, deux bateaux sont ouverts au public. Le *RS Hispaniola* propose jazz, piano, danse du ventre et prestidigitateurs pendant le dîner ; les ponts ensoleillés du *Queen Mary* s'ornent de bars. ◈ *Embankment WC2 • Plan M4*

8 Oasis Sports Centre
Célèbre pour sa piscine ouverte chauffée, le centre propose piscine couverte, gymnastique et bains de soleil. ◈ *32 Endell St WC2 • Plan M2 • EP*

9 Players Theatre
Cette petite salle victorienne de 240 spectateurs, sous les arcades de la gare de Charing Cross, recrée les spectacles de music-hall d'époque, à 20h15, du mardi au dimanche. ◈ *The Arches, Villiers Street WC2 • Plan M4 • EP*

10 Bush House
Abritant le BBC World Service, l'édifice s'orne au nord d'un imposant portique. Le BBC World Service Shop vend des cassettes audio et vidéo, ainsi que des livres. ◈ *Strand WC2 • Plan N3*

Gauche **Knutz, farces et attrapes** Droite **Stanford's, librairie spécialisée dans les voyages**

🏬10 Shopping

1 Floral Street
Cette rue élégante abrite Paul Smith, qui vend des vêtements à la mode, Camper, marchand de chaussures, et Agnès B., styliste française. ◈ *Floral Street WC2 • Plan M3*

2 Jubilee Market
Jouxtant la Piazza, ce marché propose antiquités le lundi et objets artisanaux le week-end. Le reste de la semaine, on y trouve vêtements et souvenirs clinquants. ◈ *Covent Garden Piazza WC2 • Plan M3*

3 Dr Martens Store
Ce nom familier cache une grande variété de chaussures et de bottes, qui valent le coup d'œil. ◈ *1–4 King Street WC2 • Plan M3*

4 Stanford's
Paradis du voyageur offrant un grand choix de littérature, de guides de voyage et de cartes. Sous-sol consacré aux îles britanniques et à la navigation. ◈ *12–14 Long Acre WC2 • Plan M3*

5 Ellis Bingham
Tout le matériel de plein air imaginable, plus une foule de gadgets utiles. ◈ *32 Southampton Street WC2 • Plan M3*

6 Theatre Shop
On y trouve les CD des spectacles que l'on vient d'y voir. Au sous-sol, achetez les partitions et livrets pour fredonner chez vous. ◈ *St Martin's Lane • Plan L3*

7 Penhaligon's
Ouverte depuis 1870, cette parfumerie traditionnelle propose un vaste choix d'essences anglaises et de savons anciens pour hommes et femmes. Cadeaux parfaits. ◈ *41 Wellington Street WC2 • Plan M3*

8 Knutz
Grand choix de farces, attrapes et costumes. Magasin drôle, infantile et loufoque, pour fêtes ou souvenirs originaux. ◈ *1 Russell Street WC2 • Plan M2*

9 The Tea House
Vingt sortes de thé sont en vente dans ce magasin spécialisé de Neal Street. On y trouve également des théières originales et des ouvrages sur la façon de maîtriser l'art du thé à l'anglaise. ◈ *15a Neal Street WC2 • Plan M2*

10 Thomas Neal Centre
Cette galerie marchande élégante abrite nombre de boutiques à la mode disposées sur 2 niveaux. Café et restaurant agréables à l'étage inférieur. ◈ *Earlham Street WC2 • Plan L2*

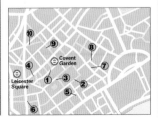

Les autres boutiques **p. 170**

103

Gauche **Enseigne du World Food Café** Droite **Bar de la Freedom Brewing Company**

^{TOP}10 Pubs et cafés

1 Royal Opera House Café
Prenez l'escalator jusqu'au café de l'Amphitheatre Bar : café, gâteaux, boissons. ◉ *Covent Garden WC2 • Plan M2*

2 World Food Café, Neal's Yard Dining Room
Dégustez du thé, un café filtre, une glace indienne à la mangue ou un snack végétarien dans ce joli coin de Covent Garden. ◉ *14 Neal's Yard WC2 • Plan M2*

3 Freuds
Le soir, ce petit sous-sol attire le monde du design. Grand choix de cafés (certains arrosés), de cocktails et de bières en bouteille. ◉ *198 Shaftesbury Avenue W1 • Plan L2*

4 Freedom Brewing Company
Situé dans un sous-sol de brique, ce bar d'aspect industriel, mais néanmoins élégant, sert un grand choix d'*ales* authentiques, servies avec des plats au prix raisonnable. ◉ *41 Earlham Street WC2 • Plan M2*

5 The Lamb and Flag
Ce pub traditionnel proposant de la *bitter* en tonneau est l'un des plus anciens du West End *(p. 62)*. Délicieux rôtis servis en semaine au déjeuner. ◉ *33 Rose Street WC2 • Plan M3*

6 Paul
La meilleure pâtisserie de Covent Garden vend d'authentiques croissants, pains, tartes aux fruits et autres gâteaux, avec un café très français. ◉ *30 Bedford Street WC2 • Plan M3*

7 Gordon's Wine Bar
Un ancien bouge où porto et madère sont servis au tonneau, dans des gobelets. ◉ *47 Villiers Street WC2 • Plan M4*

8 Corney and Barrow
Bar à vin élégant abritant un bar à champagne en sous-sol et un restaurant à l'étage. Ouvert jusqu'à 2h du jeudi au samedi. ◉ *116 St Martin's Lane WC2 • Plan L3*

9 Frank's Café
Tenu par la famille Ruocco depuis les années 1960, ce café est l'un des rares établissements bon marché du centre ville. *Breakfasts,* pâtes et sandwichs. ◉ *52 Neal Street WC2 • Plan M2*

10 Monmouth Coffee House
L'un des endroits de Londres où l'on déguste un excellent café, dont certaines variétés d'origine bio. Le délicieux arôme se répand jusqu'aux tables en bois, à l'arrière de la salle. ◉ *27 Monmouth Street WC2 • Plan L2*

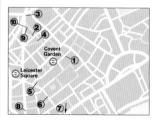

Les autres pubs p. 62-63

Catégories de prix

Pour un repas avec entrée, plat et dessert, une demi-bouteille de vin, taxes et service compris.

£	moins de 15 £
££	de 15 à 25 £
£££	de 25 à 35 £
££££	de 35 à 50 £
£££££	plus de 50 £

Gauche **The Ivy** Droite **Chez Gerard, vue sur Covent Garden**

Restaurants

1 The Ivy
Les simples mortels doivent réserver 6 semaines à l'avance pour dîner dans ce restaurant, le plus en vue du West End, où les plats de brasserie, excellents, sont servis dans une atmosphère élégante. ◎ *1 West St WC2* • *Plan L2* • *020 7836 4751* • *££££*

2 Belgo Centraal
Moules, frites, mayonnaise et un choix de 100 bières différentes, à savourer sur de longues tables de réfectoire, sont proposés par des serveurs déguisés en moines. Essayez les menus déjeuner à £5. ◎ *50 Earlham St WC2* • *Plan L2* • *020 7813 2233* • *£*

3 Mon Plaisir
L'un des plus anciens restaurants français de Londres, avec plat du jour variant régulièrement. ◎ *21 Monmouth St WC2* • *Plan L2* • *020 7836 7243* • *Menus déjeuner et avant-théâtre* • *££££*

4 Rock and Sole Plaice
Tout simplement les meilleurs *fish-and-chips* traditionnels de Londres. ◎ *47 Endell St WC2* • *Plan M2* • *0207836 3785* • *£*

5 Chez Gerard
Établissement d'une chaîne de restaurants français avec vue plongeante sur le marché de Covent Garden. Cuisine simple et excellente. Café ouvert de 11h à 17h. ◎ *Covent Garden Central Market WC2* • *Plan M2* • *020 7379 0666* • *PAH* • *Menus avant-théâtre* • *£££*

6 Prospect Grill
Grill américain sophistiqué servant poissons, viandes et desserts délicieux. ◎ *4–6 Garrick St WC2* • *Plan L3* • *020 7379 0412* • *PAH* • *£££*

7 Orso
Restaurant italien pittoresque et populaire. Prix moyens. ◎ *27 Wellington St WC2* • *Plan N3* • *020 7240 5269* • *££££*

8 Joe Allen
Cuisine européenne moderne et plats américains classiques dans ce restaurant convivial de style new-yorkais. ◎ *13 Exeter St WC2* • *Plan M3* • *020 7836 0651* • *££££*

9 Rules
Cet établissement, le plus ancien de Londres, est réputé depuis 1798 pour ses « *pies*, huîtres et bière brune » *(p. 77)*. ◎ *35 Maiden Lane WC2* • *Plan M3* • *020 7836 5314* • *PAH* • *££££*

10 The Admiralty
Cuisine paysanne française dans un cadre élégant. ◎ *Somerset House, The Strand WC2* • *Plan N3* • *020 7845 4646* • *£££££*

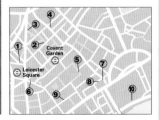

Gauche **Museum Street,** Droite **Fitzroy Square**

Bloomsbury et Fitzrovia

Érudition, droit et littérature sont à l'honneur dans ce quartier de Londres, dominé par deux éminentes institutions, le British Museum et la London University, et comportant les Inns of Court, écoles de droit de la capitale. Orné de places élégantes et de façades du XVIIIe s. comportant bibliothèques, librairies et maisons d'édition, cet endroit abrita au début du XXe s. le Bloomsbury Group, fondé, entre autres artistes, par Virginia Woolf (p. 72). La réputation « dissolue » de Fitzrovia fut en partie due aux personnages qui fréquentaient la Fitzry Tavern, comme Dylan Thomas (1914-1953), le poète gallois, et le peintre Augustus John (1878-1961).

Les sites

1 British Museum
2 British Library
3 Sir John Soane's Museum
4 Dickens House Museum
5 University College London
6 Percival David Foundation of Chinese Art
7 British Telecom Tower
8 Pollock's Toy Museum and Shop
9 St George's Church
10 St Pancras Station

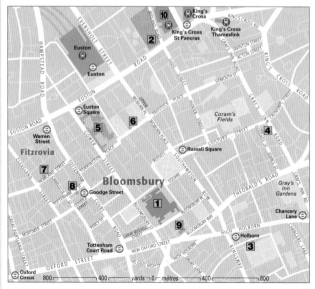

Sir John Soane's Museum

1 British Museum
p. 8-11

2 British Library
Située à St Pancras, la British Library possède des copies de tout ce qui est édité en Grande-Bretagne, ainsi que nombre de publications du monde entier. Ses membres y ont accès gratuitement, tandis que les visiteurs peuvent admirer l'édifice et les expositions qui s'y déroulent. La John Ritblatt Gallery comporte la première carte de Grande-Bretagne (1250), une bible de Gutenberg (1455), la première édition des œuvres de Shakespeare (1623), la partition du *Messie* de Haendel (1741) et de magnifiques manuscrits enluminés. Des parois de verre révèlent au regard les épais volumes reliés de cuir de la King's Library, don de George III. Ce lieu, où discussions et autres animations sont régulièrement organisées, abrite un café, un restaurant et, bien sûr, une librairie bien garnie. ◈ *96 Euston Road NW1* • *Plan L1* • *Ouv. lun., mer., jeu. et ven. 9h30-18h, mar. 9h30-20h, sam. 9h30-17h, dim. et j.f. 11h-17h* • *Expositions gratuites. Laissez-passer exigé pour la salle de lecture*

3 Sir John Soane's Museum
Tout au long de la visite de ce musée, les visiteurs vont d'émerveillement en émerveillement. Sir John Soane, l'un des éminents architectes du XIXᵉ s., exposa avec art des antiquités et objets précieux dans 3 maisons adjacentes. La crypte souterraine, conçue comme une catacombe romaine, est particulièrement originale. À voir également *The Rake's Progress* (L'Évolution du débauché, 1753), série de 8 peintures de Hogarth. Les bâtiments s'élèvent au nord de Lincoln's Inn Fields, au cœur du quartier juridique parcouru par des avocats en robe et perruque. Lincoln's Inn, dont une partie remonte au XVᵉ s., du côté est de la place, est l'une des écoles de droit les mieux préservées de Londres. ◈ *13 Lincoln's Inn Fields WC2* • *Plan N1* • *Ouv. mar.-sam. 10h-17h, 1ᵉʳ mar. du mois 18h-21h* • *EG*

Gauche **Manuscrit enluminé, British Library,** Droite **Sir John Soane's Museum**

*Les autres figures littéraires de Londres p. **72-73***

4 Dickens House Museum

Cette maison, où vécut Charles Dickens de 1837 à 1839 et où il acheva quelques-uns de ses grands romans *(Oliver Twist, Nicholas Nickleby* et *Le Journal de Mr Pickwick)*, nous permet de pénétrer dans la vie du grand auteur et réformateur social. Certaines pièces, qui ont retrouvé leur aspect de l'époque victorienne, nous font voyager dans le temps, à l'instar d'anciennes écuries voisines, les Doughty Mews. ✆ *48 Doughty Street WC1 • Plan F2 • Ouv. 10h-17h lun.-sam., dim. 11h-17h. • EP*

5 University College London

Fondé en 1836, l'UCL, le plus vieux collège de l'université de Londres, possède quelques belles collections académiques. Le Petrie Museum abrite un très vaste ensemble d'archéologie égyptienne. Gravures de toutes sortes et mezzo-tinto anglais très anciens sont exposés dans la Strang Print Room. Renseignez-vous sur le programme de la salle de spectacles du collège, le Bloomsbury Theatre, situé sur Gordon Street. ✆ *Gower Street WC1 • Plan K1 • Petrie Museum : ouv. mar.-ven. 13h-17h, sam. 10h-13h • EG • Bloomsbury Theatre • Plan E2 • 020 7388 8822*

Bloomsbury et les Russells

Nombre de rues et de places de Bloomsbury portent le nom de membres de la famille Russell, ducs de Bedford. Le 1er du nom figure dans *Henry V*, pièce de Shakespeare. En 1800, le 5e duc vendit la demeure familiale de Bedford Place et se retira à la campagne. La résidence familiale fut transformée par le duc actuel en une attraction touristique *(p. 167)*.

6 Percival David Foundation of Chinese Art

Comprenant près de 1 700 pièces du Xe au XVIIIe s., cette collection est considérée comme le plus bel ensemble de porcelaines chinoises hors de Chine. Elle fut offerte à l'University of London's School of Oriental and African Studies en 1950 par Sir Percival David. ✆ *55 Gordon Square WC1 • Plan E2 • Ouv. lun.-ven 10h30-17h • EG*

7 British Telecom Tower

Haute de 190 m, cette tour était le plus haut bâtiment de Londres à son inauguration, en 1965. Malheureusement, le restaurant tournant qui se trouvait au sommet fut fermé pour raisons de sécurité. La Tower Tavern, à Cleveland Street, expose un plan expliquant la structure de la tour et sert de la bière à la pression. ✆ *Plan J1*

Telecom Tower

Gauche **Façade de St Pancras Station** Droite **Sculptures de St Pancras Parish Church**

Les autres musées de Londres p. 48-49

Poupées emperlées, Pollock's Toy Museum

8 Pollock's Toy Museum and Shop

Ce charmant musée à la taille des enfants est un trésor de jouets anciens. Le magasin au-dessous propose jeux et jouets de toutes sortes, comme un théâtre de carton de l'époque victorienne. ✆ *Bloomsbury Way WC1 • Plan E2 • Ouv. lun.-sam. 10h-17h • EP*

9 St George's Church

Décrite dans un guide du XIXe s. comme « l'édifice le plus laid et prétentieux de toute la métropole », cette église est surmontée d'une statue de George I incarnant saint Georges. ✆ *Bloomsbury Way WC1 • Plan M1 • Ouv. lun.-ven. 10h-17h30 et pendant les offices*

10 St Pancras Station

L'une des gloires du néogothique victorien, cette gare de tramway fut conçue en 1874 par George Gilbert Scott, qui créa également l'Albert Memorial *(p. 119)*. La plus grande partie de la façade est celle de l'ancien Midland Grand Hotel, qui, intégré au projet de terminus du tunnel sous la Manche, doit être rénové. ✆ *Euston Road NW1 • Plan E1*

Bloomsbury et Fitzrovia à pied

Le matin

Arrivez au **British Museum** *(p. 8-11)* à l'ouverture (10h) pour admirer la toute nouvelle Great Court en paix. Contemplez le dôme de verre de Norman Foster en savourant un café. En sortant, passez devant les bas-reliefs assyriens.

Flânez devant les magasins de gravures et de livres anciens, tels que **Jamdyce** *(p. 110)* le long de Great Russell Street et de Museum Street. Tournez à gauche en haut de Little Russell Street en regardant la belle église St George, de Hawksmoor. Faites le tour de Bloomsbury Square et examinez la plaque rendant hommage au Bloomsbury Group. Dirigez-vous à l'ouest, jusqu'à Bedford Square, orné de demeures du XVIIIe s. Traversez Tottenham Court Road et poursuivez jusqu'à Charlotte Street.

L'après-midi

Observez les portraits de figures littéraires telles que Dylan Thomas au sous-sol de la **Fitzroy Tavern** *(p. 111)*, au n°16 Charlotte Street, tout en y buvant un apéritif. Si vous désirez un repas substantiel, essayez un curry chez **Rasa Samudra** *(p. 111)*, au n°5.

Rendez-vous d'un pas tranquille jusqu'à Tottenham Court Road pour y faire des achats. **Heals** *(p. 110)* et Habitat vendent des meubles et accessoires illustrant le dernier cri du design britannique. Dans le sous-sol commun aux 2 magasins, le **Table Café** *(p. 111)* sert un excellent English tea.

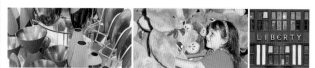

Gauche **Vases élégants, Heals** Centre **Choix d'un « nounours », Hamleys** Droite **Liberty**

Shopping

1 Liberty
Ce grand magasin vend les dernières créations de haute couture, bijoux et accessoires pour la maison. À son ouverture, en 1875, il proposait des articles et des soieries en provenance de tout l'Empire. Son nom est resté attaché à un superbe tissu, le « liberty », étoffe légère imprimée *(p. 64)*. ✆ *210–220 Regent Street W1 • Plan J2*

2 Hamleys
Le plus grand magasin de jouets de Londres vend de tout, des poupées aux jeux d'ordinateur. Ses vitrines valent d'être admirées *(p. 64)*. ✆ *188–196 Regent Street W1 • Plan J2*

3 Heals
Magasin de meubles le plus réputé de Londres, qui expose le meilleur du design britannique. Café agréable au 3e étage. ✆ *196 Tottenham Court Road W1 • Plan E2*

4 Virgin Megastore
Sur 4 niveaux, CD, vidéos, jeux d'ordinateur et magazines. Ouvert jusqu'à 21h du lundi au samedi. ✆ *14–16 Oxford Street W1 • Plan L4*

5 British Museum Shop
Achetez des objets ou des bijoux artisanaux dans cette boutique : boucles d'oreilles reproduisant celles de l'Égypte ancienne, buste romain ou artisanat contemporain. ✆ *22 Bloomsbury Street WC1 • Plan L1*

6 Hi-Fi Experience
Excellent magasin de hi-fi et home cinéma dans une rue remplie de vendeurs de matériel électronique. ✆ *227 Tottenham Court Road W1 • Plan L1*

7 Jessops Classic Photographica
Entrez par Pied Bull's Yard dans ce paradis des photographes et contemplez les Leica et Hasselblad. ✆ *67 Great Russell Street WC1 • Plan L1*

8 Cornelissen and Son
Ce magasin de matériel artistique s'orne de boiseries et de flacons de verre. ✆ *105 Great Russell Street WC1 • Plan M1*

9 Jarndyce
Boutique de livres anciens, qui se consacre surtout à la littérature britannique des XVIIIe et XIXe s. ✆ *46 Great Russell Street WC1 • Plan L1*

10 Falkiner Fine Papers
Papier à lettres artisanal et reliure. ✆ *76 Southampton Row • Plan M1*

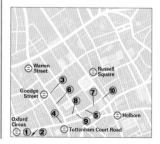

Les autres boutiques **p. 170**

Catégories de prix		
Pour un repas avec	**£**	moins de 15 £
entrée, plat et dessert,	**££**	de 15 à 25 £
une demi-bouteille	**£££**	de 25 à 35 £
de vin, taxes et	**££££**	de 35 à 50 £
service compris.	**£££££**	plus de 50 £

Gauche **R. K. Stanleys** Droite **Mash**

🔟 Boire et manger

1 Rasa Samudra
Recettes exquises du Kerala (sud de l'Inde) incluant des plats de poisson et des currys végétariens. ⊗ *5 Charlotte Street W1 • Plan K1 • 020 7637 0222 • AH avec réservation • £££*

2 Wagamama
Ce bar à nouilles sans chichis attire aussi bien étudiants qu'hommes d'affaires, qui se restaurent sur de longues tables en bois. ⊗ *4a Streatham Street WC1 • Plan L1 • 020 7323 9223 • PAH • £*

3 Bam-Bou
Restaurant traditionnel vietnamien situé dans une charmante demeure du XVIIIe s. ⊗ *1 Percy Street W1 • Plan K1 • 020 7323 9130 • PAH • ££££*

4 Pied à Terre
Restaurant primé, proposant une carte de 750 vins et une superbe cuisine nouvelle française. ⊗ *34 Charlotte Street W1 • Plan K1 • 020 7636 1178 • £££££*

5 Fitzroy Tavern
Ce pub, qui donna son nom au quartier (Fitzrovia), abrite un bar central apprécié au sortir du travail. Bonne bière Samuel Smith à prix raisonnable. ⊗ *16 Charlotte Street W1 • Plan K1*

6 Table Cafe
Faites une pause et dégustez un déjeuner italien décontracté au sous-sol d'Habitat et Heals *(p. 110)*.

⊗ *196 Tottenham Court Road W1 • Plan E2 • 020 7636 8330 • £*

7 Villandry Foodstore
Rattaché à un magasin d'alimentation, le restaurant offre un menu français simple qui change 2 fois par jour. ⊗ *170 Great Portland Street W1 • Plan J1 • 020 7631 3131 • ££££*

8 Mash
Café-restaurant à la mode proposant une bière maison et des grillades au bois. ⊗ *19–21 Great Portland Street W1 • Plan J1 • 020 7637 5555 • £££*

9 Carluccio's Caffe
Une touche d'Italie authentique sur cette place derrière Oxford Street. Pâtes fraîches servies en terrasse. ⊗ *8 Market Place W1 • Plan J2 • 020 7636 2228 • ££*

🔟 R K Stanleys
Savourez saucisses et bière dans ce restaurant branché. ⊗ *6 Little Portland Street W1 • Plan J1 • 020 7462 0099 • £££*

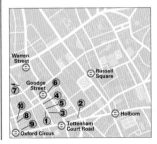

Remarque : *Sauf indication contraire, tous les restaurants acceptent les cartes de paiement et proposent des plats végétariens.*

Gauche **Buckingham Palace** Droite **Royal Opera Arcade**

Mayfair et St James's

Les membres de la famille royale y font leurs achats ; nous nous contentons de regarder. Nombre de merveilleuses petites boutiques y furent ouvertes pour la commodité de St James Palace. Piccadilly – qui tire son nom des « picadils », cols fantaisie vendus à cet endroit au XVIIIe s. – sépare St James de Mayfair, où des magasins chic ornent Bond Street, Cork Street et Savile Row, jusqu'à Oxford Street. Ce quartier, depuis longtemps l'un des plus élégants de la ville, abrite l'Académie royale des arts depuis 1868 et accueille aujourd'hui la plupart des grandes galeries d'art de Londres.

Les sites

1 Buckingham Palace
2 St James's Park
3 Royal Academy of Arts
4 St James's Palace
5 Bond Street
6 Shepherd Market
7 Apsley House
8 Berkeley Square
9 Burlington Arcade
10 Faraday Museum

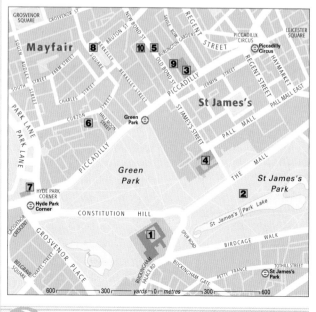

125 fonctionnaires gouvernèrent à eux seuls l'Empire britannique, qui couvrait un cinquième de la surface du monde *(p. 28)*. 🚫 SW1 • *Plan K5-L5 • Ouv. t.l.j. 5h-minuit*

3 Royal Academy of Arts

De grandes expositions temporaires d'art se déroulent à Burlington House, qui abrite une prestigieuse école des beaux-arts. Cet édifice est l'un des seuls bâtiments du XVIIᵉ s. encore debout à Piccadilly. On peut voir le devant des anciens jardins en se dirigeant vers les Sackler Galleries ornées, près de l'entrée, d'une *Madone à l'Enfant* (1505), l'une des quatre seules sculptures de Michel-Ange hors d'Italie. Une exposition d'été annuelle réunit des œuvres nouvelles d'artistes établis ou encore inconnus *(p. 51)* 🚫 *Burlington House, Piccadilly W1 • Plan J4 • Ouv. t.l.j. 10h-18h (ven. 10h) • EP*

4 St James's Palace

Érigé par Henry VIII sur le site de l'ancien hôpital de St James, ce palais est la résidence officielle du prince Charles. Le corps de garde de brique rouge, de style Tudor, est familier aux Londoniens *(p. 54)*. 🚫 *The Mall SW1 • Plan K5 • Fer. au public*

Victoria Memorial, Buckingham Palace

1 Buckingham Palace
p. 26-27

2 St James's Park

Ce parc, le plus élégant de Londres, s'orne de magnifiques parterres, d'oiseaux sauvages exotiques (distribution de nourriture aux pélicans à 15h), d'un café avec terrasse et d'un kiosque à musique accueillant un orchestre en été. Le pont au-dessus du lac offre, à l'ouest, une vue sur Buckingham Palace et, à l'est, une perspective de l'ancien Colonial Office où

Gauche **St James's Park** Droite **Gatehouse, St James's Palace**

Les autres sites royaux de Londres p. 54-55

113

5 Bond Street

Ornée des plus élégantes boutiques de Londres, Bond Street (New Bond Street au nord et Old Bond Street au sud) est depuis longtemps le lieu de promenade de la haute société. Nombre des établissements s'y trouvent depuis au moins un siècle : grandes maisons de couture, élégantes galeries (Agnews ou la Fine Art Society), salles des ventes de Sotheby's et joailliers prestigieux (Tiffany et Asprey). Au point de rencontre des deux parties de la rue, se dresse une charmante statue de Winston Churchill et de Franklin D. Roosevelt, qui vaut bien une photographie. ✎ Plan J3-J4

6 Shepherd Market

Le site fut baptisé ainsi en hommage à Edward Shepherd qui y construisit une maison de 2 étages vers 1735. Aujourd'hui, cette zone piétonne au cœur de Mayfair est un lieu agréable les soirs d'été. Le pub principal, Ye Grapes, qui remonte à 1882, avoisine des restaurants : L'Artiste Musclé, le Boudin Bleu et le Village Bistro. Au XVIIe s. se tenait à cet endroit une foire de mai annuelle (May Fair), qui donna son nom au quartier. ✎ Plan D4

Mayfair et l'Amérique

Durant la Seconde Guerre mondiale, le général Eisenhower résida à Grosvenor Square. L'ambassade des États-Unis fut ouverte en 1960 sur un domaine que le Grosvenor Estate accepta de louer, mais non de vendre, tant que ses terres de Floride, confisquées après la guerre d'Indépendance, ne seraient pas restituées.

7 Apsley House

Demeure du duc de Wellington *(p. 53)*, Apsley House est en partie occupée par ses descendants. Conçu par Robert Adam dans les années 1770, l'édifice abrite des tableaux et des objets du grand chef militaire. On y remarque quelques belles œuvres de Diego Velázquez, dont *Le Vendeur d'eau de Séville* et une statue de Napoléon nu d'Antonio Canova, particulièrement poignante. ✎ Hyde Park Corner W1 • Plan D5 • Ouv. mar.-dim. 11h-17h • EP

Somptueux intérieur, Apsley House

8 Berkeley Square

Cet espace vert, planté en 1789, compte 30 énormes platanes, sans doute les plus anciens de Londres. En 1774, Robert Clive, héros de l'Empire britannique, se suicida au n°45.

Gauche **Shepherd Market** Droite **Berkeley Square**

Huissier, Burlington Arcade

Des bancs-mémoriaux du square comportent d'émouvantes inscriptions, souvent écrites par des Américains cantonnés à Mayfair durant la Seconde Guerre mondiale. Du côté est de la place, s'étendent les espaces d'exposition de UK Bentley et de Rolls-Royce. ◎ *Plan D4*

9 Burlington Arcade

Cette galerie de boutiques exquises fut construite en 1819 par Lord George Cavendish, de Burlington House *(voir Royal Academy of Arts, p. 113)*, pour empêcher les passants de jeter des détritus dans son jardin. Elle est surveillée par des huissiers en uniforme devant lesquels même le sifflotement est interdit. ◎ *Piccadilly W1 • Plan J4*

10 Faraday Museum

Michael Faraday (1791-1867), pionnier de l'électromagnétisme, fit des expériences dans les laboratoires de la Royal Institution, où il fut professeur de chimie de 1833 à 1867. Ces édifices néoclassiques abritent aujourd'hui un musée. ◎ *The Royal Institution, 21 Albemarle Street W1 • Plan J3 • Ouv. lun.-ven. 10h-17h30 • EP*

Découvrir St James's

Le matin

🕐 En partant de la station de métro de St James's Park, parcourez Queen Anne's Gate en admirant les jolies maisons du XVIIIe s., puis traversez l'allée au coin de Birdcage Walk pour pénétrer dans **St James's Park** *(p. 113)*. Prenez un café au kiosque avant de vous diriger vers **Buckingham Palace** *(p. 26)* pour y assister à la relève de la Garde à 11h. Après la cérémonie, remontez le Mall en dépassant **St James's Palace** *(p. 113)* et entrez dans St James's Street. Tournez à droite dans Jermyn Street et flânez devant les magasins comme les crémeries Paxton et Whitfield ou la parfumerie Floris. Visitez St James's Church, œuvre de Wren, au bout de la rue. Pour sortir, empruntez la porte nord qui donne sur un marché d'artisanat. Descendez Piccadilly jusqu'à Fortnum.

L'après-midi

Fortnum and Mason *(p. 64)* est parfait pour acheter du thé en guise de souvenir, et pour déjeuner, au restaurant Fountain. Caviar et demi-bouteille de champagne.

Traversez Piccadilly jusqu'à la **Royal Academy of Arts** *(p. 113)* et admirez pendant 1h la collection permanente comprenant une sculpture de Michel-Ange. Faites du lèche-vitrine dans la Burlington Arcade, puis dans les galeries de **Cork Street** *(p. 116)*. Bifurquez à gauche dans Bond Street et dirigez-vous vers **Brown's** *(p. 177)*, hôtel élégant sur Albermarle Street, où vous pouvez vous détendre en savourant un English tea.

Gauche **Hôtel des ventes de Sotheby's** Droite **Haute couture, Browns**

Shopping

1 Fortnum and Mason
Célèbre pour son rayon alimentaire et ses restaurants, ce grand magasin possède toujours un personnel masculin en queue-de-pie. Essayez les glaces extravagantes du Fountain *(p. 64)*. ✆ *181 Piccadilly W1 • Plan J4*

2 Asprey and Garrard
La famille royale y achète ses bijoux depuis plus d'un siècle. On y trouve aussi de beaux stylos et des cadres en argent. ✆ *165 New Bond Street W1 • Plan J3*

3 Charbonnel et Walker
L'un des meilleurs chocolatiers de Londres, offrant un vaste choix de chocolats artisanaux. Remplissez l'une des jolies boîtes avec votre propre sélection. ✆ *1 The Royal Arcade, 28 Old Bond Street W1 • Plan J4*

4 Gieves and Hawkes
Depuis 1785, fournisseur de costumes et de chemises sur mesure pour la haute société, ce tailleur est l'un des plus réputés. Il vend aussi du prêt-à-porter. ✆ *1 Savile Row W1 • Plan J3*

5 Browns
Célèbre magasin de vêtements de marque, proposant des créations de Jill Sander, Dries van Noten et John Galliano, entre autres couturiers. ✆ *23-27 South Molton Street W1 • Plan D3*

6 Mulberry
Tout pour la maison de campagne : accessoires domestiques, objets en cuir et vêtements. ✆ *41-42 New Bond Street W1 • Plan J3*

7 Cork Street Galleries
Cork Street est réputée pour ses galeries d'art. On y achète des œuvres de très grands artistes tels que Picasso, Rothko, Damien Hirst et Tracey Emin. ✆ *Plan J3*

8 Sotheby's
Dans cet hôtel des ventes, fondé en 1744, on trouve des objets de stars, mais aussi des toiles de grands maîtres anciens. ✆ *34-35 New Bond Street W1 • Plan J3*

9 Fenwick
Grand magasin relativement intime et très élégant. ✆ *63 New Bond Street W1 • Plan J3*

10 Waterstone's
Probablement la plus grande librairie d'Europe, occupant un vaste bâtiment sur Piccadilly *(p. 65)*. ✆ *203– 206 Piccadilly • Plan K4*

Les autres boutiques **p. 170**

Salle du Quaglino's

<table>
<tr><td colspan="2">Catégories de prix</td></tr>
<tr><td>Pour un repas avec</td><td>£ moins de 15 £</td></tr>
<tr><td>entrée, plat et dessert,</td><td>££ de 15 à 25 £</td></tr>
<tr><td>une demi-bouteille</td><td>£££ de 25 à 35 £</td></tr>
<tr><td>de vin, taxes et</td><td>££££ de 35 à 50 £</td></tr>
<tr><td>service compris.</td><td>£££££ plus de 50 £</td></tr>
</table>

🕙 Boire et manger

1 Nobu
Cuisine très originale associant mets japonais et saveurs sud-américaines. Le menu du chef, comprenant 7 plats, constitue une bonne initiation. Réservation indispensable. 🏷 *19 Old Park Lane W1 • Plan D4 • 020 7447 4747 • £££££*

2 Momo
Ce restaurant nord-africain moderne, décoré dans le style casbah, sert tagines et couscous. À côté, le Mo Tea Room and Bazaar propose thé et en-cas. 🏷 *25 Heddon Street W1 • Plan J3 • 020 7434 4040 • ££££*

3 The Avenue
Mêlez-vous à l'élégante clientèle de ce restaurant animé, qui sert une cuisine européenne en larges portions britanniques. 🏷 *7-9 St James's Street SW1 • 020 7321 2111 • ££££*

4 Quaglino's
Restaurant chic orné d'un escalier harmonieux menant au bar. Plats de brasserie servis jusqu'à minuit, appréciés du public sortant des théâtres. 🏷 *16 Bury Street SW1 • Plan J4 • 020 7930 6767 • ££££*

5 The Square
Excellente cuisine française dans un cadre sophistiqué, uniquement sous forme de menus, moins coûteux au déjeuner qu'au dîner : 2 ou 3 plats pour £20 ou £25. 🏷 *160 Piccadilly W1 • Plan J4 • 020 7499 6996 • £*

6 China House
Authentique cuisine chinoise à prix économique dans un immeuble de 1919. 🏷 *160 Piccadilly W1 • Plan J4 • 020 7499 6996 • £*

7 Nicole's
Dans la boutique de mode de Nicole Farhi, ce café est rempli pour le déjeuner. 🏷 *158 New Bond Street W1 • Plan J3 • 020 7499 8408 • ££*

8 Alloro
Restaurant de Mayfair avec une grande salle. Bonne cuisine italienne. 🏷 *19–20 Dover St W1 • Plan J4 • 020 7495 4768 • ££££*

9 Phillip Owens at the ICA Café
Bonne cuisine à prix raisonnable au restaurant de cet exquis centre artistique. 🏷 *The Mall SW1 • Plan L4 • 020 7930 8619 • £££*

10 Red Lion
Ce pub traditionnel sert de l'*ale* authentique et des snacks. Bonne cuisine anglaise. 🏷 *Waverton Street W1 • Plan D4 • 020 7499 1307 • £££*

Gauche **Faïence, Holland House** Centre **Kensington Palace Gardens** Droite **Natural History Museum**

Kensington et Knightsbridge

*P*assants bronzés toute l'année, nurses poussant des landaus, enfants en uniforme marchant en rangs dans Hans Crescent et potins échangés par les gens en vue au Fifth Floor Café du grand magasin Harvey Nichols. Les beaux quartiers sont également symbolisés par Harrods et par les grands musées de South Kensington, fondés par le prince Albert, époux de la reine Victoria, dont le nom apparaît fréquemment. À Kensington vivait et sortait la princesse Diana, qui résidait à Kensington Palace, le plus raffiné des palais, et qui faisait ses achats sur Beauchamp Place. L'ouest londonien abrite aussi des monarques étrangers, dont les hôtels particuliers s'ornent de meubles anciens proposés par les antiquaires de Kensington Church Street et de Portobello Road, endroit très distrayant où passer le samedi matin.

🔟 Les sites

1. Natural History Museum
2. Science Museum
3. Victoria and Albert Museum
4. Kensington Palace
5. Albert Memorial
6. Harrods
7. Albert Hall
8. Portobello Road
9. Holland Park
10. Leighton House

Relief décoratif, Natural History Museum

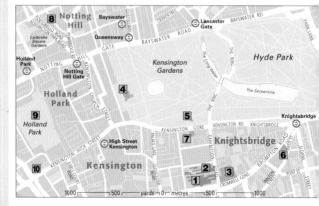

Tigre de Tipu, Victoria and Albert Museum

1 Natural History Museum

Illustration passionnante du monde des animaux et des minéraux *(p. 22-23)*.

2 Science Museum

Histoire de l'évolution des sciences et des techniques *(p. 24-25)*.

3 Victoria and Albert Museum

Ce merveilleux musée, baptisé ainsi en hommage au célèbre couple royal, abrite une foule de trésors des beaux-arts et arts appliqués de toutes les époques et de tous les endroits du monde. Il comporte de magnifiques copies de statues, de monuments et d'artefacts de la Renaissance italienne. Les expositions s'étendent sur 6 niveaux. Dans les récentes British Galleries, on admire plus de 3 000 chefs-d'œuvre de l'art et du design britanniques, dont certains remontent à 1500, ainsi que des intérieurs entièrement restaurés et des objets que l'on peut toucher *(p. 48)*. ◆ *Cromwell Road SW7 • Plan B5-C5 • Ouv. t.l.j. 10h-17h50 (mer. 22h) • EG*

4 Kensington Palace

Exquis petit palais de dimension habitable, toujours utilisé par les membres de la famille royale. Diana, la princesse de Galles, y vécut, ainsi que la princesse Margaret, sœur de la reine. Les appartements d'apparat du 1er étage, élaborés par William III et son épouse Mary, sont ouverts au public. L'audioguide (gratuit car les salles ne comportent aucun affichage) évoque la vie de cour aux XVIIe et XVIIIe s. Les pièces du rez-de-chaussée abritent une collection de costumes royaux, dont certains ont appartenu à Elizabeth II et à Diana *(p. 54)*. ◆ *Kensington Palace Gardens W8 • Plan A4 • Ouv. mars-oct., t.l.j. 10h-17h ; nov.-fév., t.l.j. 10h-16h • EP*

5 Albert Memorial

En face du Royal Albert Hall, cet édifice, dédié au prince Albert, époux bien-aimé de la reine Victoria, vient d'être restauré. Conçu par Sir George Gilbert Scott et terminé en 1876, il rend un hommage mérité à l'homme qui joua un grand rôle dans la fondation des grands musées de South Kensington. À ses 4 coins, des scènes sculptées symbolisent l'Empire, à son apogée sous le règne de Victoria. ◆ *Kensington Gardens SW7 • Plan B4*

Gauche **Earth Galleries, Natural History Museum** Droite **Albert Memorial**

Les autres musées de Londres **p. 48-49**

6 Harrods

Ni sacs à dos, ni jeans déchirés… Le portier de Harrods veille au bon goût des clients du magasin, l'un des plus célèbres du monde. La petite épicerie raffinée ouverte en 1849 fut remplacée en 1905 par l'édifice actuel, abritant plus de 150 rayons, particulièrement saisissante la nuit lorsque s'illuminent les 11 500 ampoules. Ne manquez pas le rayon alimentaire, magnifiquement orné de carrelages de couleur. Prenez un plan en entrant. Au pied de l'espace central, qui se pare d'un décor égyptien, se trouve le mémorial élevé en l'honneur de la princesse Diana et de Dodi Al Fayed *(p. 64)*. ◈ *Knightsbridge SW1 • Plan C4*

7 Royal Albert Hall

Lorsque la reine Victoria posa la première pierre du Hall of Arts and Sciences, elle mit, au grand étonnement de tous, les mots « Royal Albert » devant le nom de l'édifice, aujourd'hui simplement appelé Albert Hall. Ce bâtiment immense, presque circulaire, qui s'inspire des amphithéâtres romains, accueille 7 000 personnes. Cirques, matchs de boxe et toutes sortes de spectacles musicaux s'y déroulent, en particulier les Promenade Concerts de Sir Henry Wood *(p. 57)*. ◈ *Kensington Gore SW7 • Plan B5 • Ouv. pour les représentations et vi. gui.*

Le prince Albert

La reine Victoria et son cousin germain, le prince Albert de Saxe-Coburg-Gotha, étaient tous deux âgés de 20 ans lorsqu'ils se marièrent, en 1840. L'intérêt très « victorien » du prince pour les arts et les sciences le conduisit à fonder les grands musées de South Kensington. Père de 9 enfants, il mourut à l'âge de 41 ans.

8 Portobello Road

Traversant Notting Hill, Portobello Road, jalonnée de nombreux magasins d'antiquités, est un endroit où il fait bon flâner, en particulier le samedi lorsque le marché bat son plein. Commençant juste après Westbourne Grove, il propose fruits, légumes, pain, saucisses, fromages, musique, vêtements et bric-à-brac. Au-delà du pont ferroviaire, il se transforme en marché aux puces. Installez-vous en haut du Café Grove (n°253a) et regardez le va-et-vient des passants ou apaisez votre soif au Fluid's, un bar à jus de fruits (13 Elgin Crescent). Les arômes épicés des mets antillais se mêlent à la musique et aux vêtements exotiques colorés *(p. 65)*. ◈ *Plan A3-A4*

Statue du prince Albert devant l'Albert Hall

Gauche **Marché de Portobello Road** Droite **Royal Albert Hall**

Café, Holland Park

9 Holland Park

Des jardins clos y sont disposés comme des pièces dans une maison à ciel ouvert. Au centre, se dresse ce qui reste de Holland House, magnifique demeure du début du XVIIᵉ s., détruite par un bombardement en 1941, servant aujourd'hui d'auberge de jeunesse et d'arrière-plan aux concerts d'été. Des paons se pavanent dans tout l'espace, y compris dans le Dutch Garden, où des dahlias furent plantés pour la première fois en Angleterre. ✆ *Abbotsbury Road W14 • Plan A4–A5*

10 Leighton House

L'esthétisme victorien s'illustre par la Leighton House, conçue par Lord Leighton *(p. 52)* et son ami George Aitchison, dans les années 1860. Admirez le fabuleux Arab Hall, orné d'une fontaine et d'une coupole de vitraux. D'autres amis réalisèrent des frises et des mosaïques, mais nombre d'éléments sont d'origine, en particulier les carreaux musulmans réunis par Leighton lors de ses voyages. ✆ *12 Holland Park Road W14 • Plan A5 • Ouv. mer.-lun. 11h-17h30 • EG*

Kensington à pied

Le matin

🕐 Partez de la station de métro South Kensington et suivez les flèches pour vous rendre au **Victoria and Albert Museum** *(p. 119)*. Passez une heure délicieuse dans les British Galleries et dans les intérieurs rénovés. Suivez ensuite Old Brompton Road jusqu'au **Brompton Oratory** *(p. 47)* dont l'intérieur italien s'orne de 12 apôtres de marbre. Traversez la rue pour savourer un café et un gâteau à la Patisserie Valerie.

🕐 Tournez à droite dans Beauchamp Place, où les vitrines sont réalisées par des créateurs tels que Bruce Oldfield et Caroline Charles. Poursuivez votre chemin jusqu'à Pont Street et tournez à gauche dans Sloane Street. Flânez devant Hermès, Chanel et Dolce e Gabbana avant de bifurquer à gauche dans Knightsbridge jusqu'à Harrods.

🍴 **Harrods** offre un choix de 21 bars et restaurants. Essayez Deli ou l'Oyster Bar. Prenez votre dessert chez le glacier du 4ᵉ étage.

L'après-midi

À 5 min au nord de Harrods, **Hyde Park** *(p. 28)* offre une promenade paisible le long de la rive sud du Serpentine. En vous dirigeant vers **Kensington Palace** *(p. 119)*, passez devant la célèbre statue de Peter Pan et près de l'étang circulaire où les adeptes de modélisme essaient leurs bateaux. Dans le palais, allez visiter l'exposition de costumes. À côté, l'**Orangery Tea Room** *(p. 124)* propose un thé revigorant.

Gauche **À cheval dans Hyde Park** Centre **Serpentine Gallery** Droite **Orangerie de Holland Park**

TOP10 Autres visites

1 Royal College of Music
Le plus grand collège de musique du Royaume-Uni organise des événements musicaux toute l'année. Il abrite également un musée d'instruments. ✪ *Prince Consort Road SW7 • Plan B5 • Musée ouv. mer. (hors vacances) 14h-16h30 • EP*

2 Holland Park Concerts
Le théâtre en plein air d'Holland Park accueille tous les étés des spectacles d'opéra, de théâtre et de danse. Expositions de peinture régulières dans la Ice House et l'Orangerie *(p. 121)*. ✪ *Abbotsbury Road W14 • Plan A4–A5 • EP*

3 Serpentine Gallery
Dans le coin sud-est de Kensington Gardens, cette galerie abrite des expositions temporaires d'art contemporain *(p. 51)*. ✪ *Kensington Gardens W2 • Plan B4 • Ouv. t.l.j. 10h-18h • EG*

4 Christie's
La visite des salles de vente évoque celle d'un petit musée. Les experts évaluent les objets apportés par le public.
✪ *85 Old Brompton Road SW7 • Plan B5 • Ouv. lun.-ven. 9h-17h (lun. 19h)*

5 Electric Cinema
La plus ancienne salle de cinéma de Londres est aussi l'une des plus jolies. Restaurée, elle offre sièges luxueux, bar et restaurant. ✪ *Portobello Road W11 • Plan A3*

6 Leisure Box
Pratiquez-y patin à glace et bowling en veillant à éviter les heures de sortie d'école. ✪ *17 Queensway W2 • Plan A3 • Bowling t.l.j. 10h-23h, Patinoire t.l.j. 10h-22h45 (dim. 22h) • EP*

7 V and A Late View
Le mercredi, les galeries basses du Victoria and Albert Museum sont ouvertes jusqu'à 22h, offrant discussions et concerts *(p. 119)*. ✪ *Cromwell Road SW7 • Plan B5 • EG*

8 Park Café
Le long du Serpentine Lido, le Park Café propose des tables au bord du lac. Séances de jazz et poésie les soirs d'été. ✪ *Hyde Park W2 • Plan C4*

9 Speaker's Corner
Ce coin de Hyde Park attire des orateurs de toutes sortes, surtout le dimanche. ✪ *Hyde Park W2 • Plan C3*

10 Hyde Park Stables
Grâce à ces écuries, les meilleures de Londres, pratiquez l'équitation dans Hyde Park. ✪ *63 Bathurst Mews W2 • Plan B3*

Gauche **Harvey Nichols** Droite **Mannequin, Harvey Nichols**

🔟 Shopping

1 Harrods
Dans ce célèbre grand magasin, on trouve tout ce qui se vend. Nourriture, mode, vaisselle précieuse, verrerie et accessoires de cuisine *(p. 64 et 120)*. ⊗ *87–135 Brompton Rd SW1 • Plan C5*

2 Harvey Nichols
Autre grand magasin réputé. La mode, sur 5 niveaux, fait une grande place aux créateurs britanniques. Articles pour la maison, rayon alimentation et bon restaurant *(p. 64)*. ⊗ *109–125 Knightsbridge SW1 • Plan C4*

3 Scotch House
Cette boutique tranquille vend des vêtements de laine masculins et féminins de qualité. Clans et tartans sont associés dans la Tartan Room. ⊗ *2 Brompton Road SW1 • Plan C5*

4 Nicole Farhi
Vêtements sophistiqués d'une éminente créatrice londonienne sont proposés dans cette boutique minimaliste. ⊗ *193 Sloane St SW1 • Plan C5*

5 Monte's Cigar Store
Ce club et magasin de cigares abrite un restaurant ouvert au public. ⊗ *164 Sloane Street SW1 • Plan C5*

6 Barker's
Cet immeuble des années 1930, qui abritait deux des grands magasins de Londres, rassemble aujourd'hui plusieurs boutiques : Monsoon, Jigsaw, Hobbs et Karen Millen. ⊗ *63 Kensington High Street W8 • Plan A4*

7 The Lacquer Chest
Ce magasin d'antiquités de Kensington Church Street propose un mélange d'objets victoriens : porcelaines, vaisselle précieuse et objets orientaux. ⊗ *75 Kensington Church Street W8 • Plan A4*

8 The Tanning Shop
Sept jours sur sept, ce centre de bronzage vous permet d'entretenir votre teint hâlé. ⊗ *4 Campden Hill Road W8 • Plan A4*

9 Art 4 Fun
Dans ce café créatif, apprécié des enfants, vous pouvez décorer vos céramiques, verreries, tissus ou objets de bois. Tout l'équipement est fourni, ainsi que le café, le thé et les en-cas. ⊗ *196 Kensington Park Road W11 • Plan A4*

10 The Travel Bookshop
Excellente librairie devenue célèbre grâce à *Coup de foudre à Notting Hill*. ⊗ *13 Bleinheim Crescent W11 • Métro Ladbroke Grove*

⮞ *Les autres boutiques* **p. 170**

Gauche **Fifth Floor Café, Harvey Nichols** Droite **Churchill Arms**

TOP10 Pubs et cafés

1 Beach Blanket Babylon
Célèbre pour son intérieur néogothique, ce bar, qui sert café et snacks la journée, devient le soir un salon à cocktails bruissant de monde, où l'on se mêle au public branché de Notting Hill. ✆ 45 Ledbury Road W11 • Plan A3

2 Churchill Arms
Orné de souvenirs de Churchill et de bric-à-brac, ce pub victorien convivial, au restaurant situé dans la serre, propose de la cuisine thaïe au déjeuner et au dîner jusqu'à 21h30. ✆ 119 Kensington Church Street W8 • Plan A4

3 The Orangery Tea Rooms
Situé dans une jolie serre surplombant Kensington Gardens, ce charmant établissement sert café, thé et déjeuners (p. 121). ✆ Kensington Palace W8 • Plan A4

4 Portobello Gold
Bar fréquenté par les antiquaires du quartier, à l'atmosphère originale, comportant un bar Internet au 1er. Restaurant dans la serre. ✆ 95-97 Portobello Road W11 • Plan A3

5 Le Metro
Élégant bar à vin, idéal pour faire une pause lors d'une journée de shopping. On y sert aussi du café, du thé et un petit menu de plats légers au déjeuner et au dîner. ✆ 28 Basil Street SW3 • Plan C5

6 Paxton's Head
Bar apprécié des gens du quartier comme des visiteurs, ce pub ancien satisfait tous les goûts en servant cocktails, vodkas parfumées et *ales* authentiques. ✆ 153 Knightsbridge SW1 • Plan C4

7 Harrod's Ice-cream Parlour
Préparées chaque jour dans les cuisines de Harrods, les glaces servies au café du 4e étage sont présentées sous de multiples formes, telles que sundaes ou banana splits. ✆ Knightsbridge SW1 • Plan C5

8 Fifth Floor Café
Ouvert toute la journée pour déjeuner, thé et dîner. ✆ Harvey Nichols, 67 Brompton Rd SW3 • Plan C4

9 Market Bar
Pub de caractère apprécié des gens du quartier. ✆ 240A Portobello Road W11• Plan A3

10 Étals de Portobello
Dans le marché, vente de mets exotiques de toutes sortes. Vaste choix de cafés autour de Portobello Green. ✆ Portobello Road W11 • Métro Westbourne Park

Façade de Kensington Place

Catégories de prix

Pour un repas avec	**£** moins de 15 £
entrée, plat et dessert,	**££** de 15 à 25 £
une demi-bouteille	**£££** de 25 à 35 £
de vin, taxes et	**££££** de 35 à 50 £
service compris.	**£££££** plus de 50 £

🔟 Restaurants

1 Clarke's
Le menu dépend de ce que le chef, Sally Clarke, a envie de préparer pour le dîner, qui sera, de toute manière, excellent. ◈ *124 Kensington High Street W8 • Plan A5 • 020 7221 9225 • £££££*

2 Belvedere
Situation romantique et délicieuse cuisine française pour ce restaurant de Holland Park. En été, du patio, on entend au loin les opéras chantés dans le théâtre en plein air. ◈ *Holland Park W8 • Plan A4 • 020 7602 1238 • £££*

3 Kensington Place
Rowley Leigh, chef réputé, dirige ce restaurant branché. ◈ *201 Kensington Church Street W8 • Plan A4 • 020 7727 3184 • £££*

4 Pharmacy
Cet établissement le plus branché de Kensington, conçu par Damien Hirst, vous donne l'impression de faire partie des créations de ce dernier. Bar et restaurant servant des plats éclectiques. Réservation conseillée. ◈ *150 Notting Hill Gate W11 • Plan A4 • 020 7221 2442 • AH pour bar seul. • ££££*

5 Bistro 190
Situé dans une demeure victorienne, ce bistrot traditionnel est ouvert de 7h à minuit. Le restaurant, plus formel, sert une cuisine européenne actuelle. ◈ *190 Queensgate SW7 • Plan A3 • 020 7581 5666 • £££*

6 Royal China
Appétissante variété de *dim sum,* comportant des *char siu.* ◈ *13 Queensway W2 • Plan A3 • 020 7221 2535 • £££*

7 Magic Wok
Choix intéressant et appétissant de plats cantonais. ◈ *100 Queensway W2 • Plan A3 • 020 7792 9767 • No disabled access • ££*

8 Wódka
La vodka est servie en carafe dans ce restaurant d'Europe de l'Est réputé. Essayez le saumon fumé et les blinis au caviar. ◈ *12 St Albans Grove W8 • Plan B5 • 020 7937 6513 • PAH • ££££*

9 Isola
Intérieur ultramoderne de chrome et de cuir rouge servant de cadre à une cuisine italienne hors pair. ◈ *145 Knightsbridge SW1 • Plan C4 • 020 7838 1044 • ££££*

10 Monte's
Restaurant de club ouvert aux non-membres pour le déjeuner : escalopes écossaises, crabes de Cornouailles et gibier. ◈ *164 Sloane Street SW1 • Plan D5 • 020 7235 0555 • ££££*

Remarque : Sauf indication contraire, tous les restaurants acceptent les cartes de paiement et proposent des plats végétariens.

125

Gauche **Madame Tussaud's** Droite **Regent's Park**

Regent's Park et Marylebone

Au nord d'Oxford Street et au sud de Regent's Park, se dressent les grands hôtels particuliers de Marylebone. Ancien village médiéval entouré de champs et d'un jardin d'agrément, ce lieu est aujourd'hui un quartier du centre huppé et à la mode. Au XIXe s., les médecins commencèrent à utiliser ces demeures spacieuses pour y recevoir de riches clients. Les cabinets médicaux de grands spécialistes existent toujours dans la discrète Harley Street. Madame Tussaud's et le Planetarium de Marylebone sont peut-être moins distingués, mais l'affluence du public témoigne de leur popularité. Derrière Marylebone Road s'étend Regent's Park, entouré des somptueuses terraces de John Nash, où la tranquillité des résidents est ponctuée par le muezzin de la mosquée centrale et le barrissement des éléphants du zoo.

La Cumberland Terrace, John Nash, 1828

Les sites

1 Madame Tussaud's

2 London Zoo

3 Wallace Collection

4 Regent's Park

5 Marylebone Cricket Club Museum

6 Sherlock Holmes Museum

7 Wigmore Hall

8 Regent's Canal

9 BBC Broadcasting House

10 London Central Mosque

Pages précédentes **Carnaval de Notting Hill**

Volière de Lord Snowdon, London Zoo

1 Madame Tussaud's

Le musée des figures de cire de Madame Tussaud est l'une des attractions majeures de Londres depuis un siècle. Arrivez de bonne heure ou réservez à l'avance. À côté, le Planetarium propose une animation de 30 min sur le ciel nocturne. Il est possible d'acheter un billet pour les deux endroits (p. 68).
🕲 Marylebone Road NW1 • Plan C2 • Ouv. mai-sept. 10h-17h30 ; oct.-juin, lun.-ven. 10h-17h30, sam. et dim. 9h30-17h30 • EP

2 London Zoo

Au nord de Regent's Park, le zoo de Londres abrite quelque 600 espèces d'animaux différentes. Très orienté vers la conservation de la faune, il présente des programmes d'élevage pour des spécimens en voie de disparition comme le weta géant et l'hippocampe de Knysna. Un plan est fourni à l'entrée et la brochure est riche d'informations sur les hôtes du lieu (p. 68). 🕲 Regent's Park NW1 • Plan C1 • Ouv. mars-oct. 10h-17h30 ; nov.-fév. 10h-16h • EP

3 Wallace Collection

« La plus belle collection d'art rassemblée par une famille » : cette affirmation est difficile à contredire. Sir Richard Wallace, qui offrit cet ensemble à la nation en 1897, était un riche homme de goût. Outre 20 galeries de porcelaine de Sèvres et une impressionnante collection d'armures, il rassembla des tableaux de maîtres anglais, français et hollandais parmi lesquels figure Le Cavalier souriant, de Frans Hals (p. 50). 🕲 Manchester Square W1 • Plan D3 • Ouv. lun.-sam. 10h-17h, dim. 12h-17h • EG

4 Regent's Park

Le superbe cercle intérieur contient les Queen Mary's Gardens, ornés de parterres et de tonnelles de roses, le théâtre en plein air, où se donnent l'été des pièces de Shakespeare, et le Park Café (l'un des établissements du lieu). L'été, des concerts ont lieu dans le kiosque à musique. Location de chaises longues, barques et courts de tennis. (p. 29). 🕲 NW1 • Plan C1-D2 • Ouv. t.l.j. 5h-crépuscule

Gauche **Shirley Bassey, Madame Tussaud's** Droite **Lac de Regent's Park**

5 Marylebone Cricket Club Museum

Cet endroit lève le voile sur le plus grand cadeau de l'Angleterre au monde du sport. Fondé en 1787, le MCC constitue le siège administratif du cricket et abrite son propre terrain. Les matchs-tests se déroulent à Lord's. On ne pénètre dans ce musée que dans le cadre d'une visite guidée. ⊗ *St John's Wood NW8 • Plan B2 • Vi. gui. avr.-oct. 10h, midi, 14h*

Terrain de cricket de Lord's

6 Sherlock Holmes Museum

Faites-vous prendre en photo devant la cheminée du salon, le chapeau de Sherlock Holmes sur la tête et la pipe à la bouche. Très amusant, ce musée reconstitue l'univers du grand détective. Un *policeman* victorien en uniforme monte la garde, des bonnes en uniforme ouvrent la porte et, au 1ᵉʳ étage, des mannequins de cire (dont celui de l'infâme Moriarty) illustrent des épisodes des plus fameuses affaires du détective *(p. 52)*. ⊗ *221b Baker Street NW1 • Ouv. t.l.j. 9h30-18h*

Londres et la Régence

Londres et la Régence
Regent's Park fut baptisé ainsi en hommage au prince régent (futur George IV), qui engagea John Nash, en 1812, pour dessiner ce site sur le domaine royal de Marylebone Farm. Nash, à qui toute liberté fut laissée, réalisa un chef-d'œuvre d'harmonie. De somptueuses *terraces* (rangées de maisons attenantes) néoclassiques entourent ce magnifique espace.

7 Wigmore Hall

Les concerts du Wigmore Hall se déroulent dans une atmosphère conviviale, surtout les « Coffee Concerts » du dimanche matin en septembre. On y vient tout simplement pour l'amour de la musique. D'une acoustique exceptionnelle, cette salle fut construite en 1907 par la compagnie Bechstein, dont les salons d'exposition de pianos se trouvent à côté. ⊗ *36 Wigmore Street W1 • Plan D3*

8 Regent's Canal

John Nash souhaitait que le canal traverse le centre du parc qu'il dessinait, mais les protestations des voisins, craignant de subir l'odeur des bateaux et les jurons de l'équipage, repoussèrent le tracé au nord du parc. En 1874, un cargo chargé d'explosifs démolit le North Gate Bridge, proche du zoo *(p. 168)*. ⊗ *Plan C1*

Gauche **Péniches aménagées, Regent's Canal** Droite **BBC Broadcasting House**

London Central Mosque

BBC Broadcasting House
9 Depuis sa construction en 1932, la Broadcasting House, symbole de la BBC, flotte sur Portland Place comme un grand paquebot. L'évolution de la radio, puis de la télévision nécessita des locaux plus vastes, et aujourd'hui, la plupart des émissions ont lieu dans d'autres studios. Il est toutefois prévu de restructurer l'édifice pour en faire un centre moderne de BBC Radio, BBC World Service et BBC News. ◎ *Broadcasting House, Portland Place W1 • Plan J1 • Fer. au public*

London Central Mosque
10 Cinq fois par jour, le muezzin lance son appel du minaret de la mosquée centrale de Londres, ornée d'un dôme de cuivre caractéristique. Construit en 1978, l'édifice, devenu le centre communautaire et culturel des musulmans, abrite des candélabres scintillants qui éclairent l'intérieur bleu ciel de la coupole. Sur le sol, des tapis attendent les fidèles qui se tournent vers La Mecque pour prier. ◎ *146 Park Road NW8 • Plan C2*

Découvrir Marylebone

Le matin

🕐 Avant de vous mettre en route, réservez un billet (par téléphone ou Internet) pour visiter **Madame Tussaud's** l'après-midi. Partez ensuite de la station de métro Bond Street, côté Oxford Street. En face s'étend St Christopher Place, allée étroite bordée de boutiques exquises, qui débouche sur une place piétonnière. Faites une pause café à la terrasse du Sofra.

Continuez jusqu'à Marylebone Lane qui conduit à Marylebone High Street et à son vaste choix de boutiques de design, comme **The Conran Shop** *(p. 132)*. Arrêtez-vous un moment dans le jardin paisible de Marylebone Parish Church. Il abrite, entre autres monuments, un mémorial dédié à Charles Wesley (1707-1788), pasteur méthodiste, auteur d'hymnes célèbres.

L'après-midi

Pour déjeuner, l'**Orrery** *(p. 133)*, à côté de The Conran Shop, semble tout indiqué. Si vous désirez un simple en-cas, rendez-vous à la Patisserie Valerie, au 105 Marylebone High Street.

Après le déjeuner, ignorez la queue légendaire qui s'étend devant **Madame Tussaud's** et brandissez votre billet. Consacrez ensuite 1h30 à l'examen des célébrités de cire et au Planetarium.

Traversez Marylebone Road pour pénétrer dans Baker Street. Dégustez un thé chez **Reubens** *(p. 133)*, puis dirigez-vous vers le charmant **Sherlock Holmes Museum**, au n° 221b.

Visiter Londres – Regent's Park et Marylebone

Gauche **Colonnade de Selfridges** Centre **Le grand magasin John Lewis** Droite **Vitrine de Selfridges**

TOP 10 Shopping

1 Daunt's
Dans cette librairie début xxᵉ s., qui abrite un café, tous les livres de voyage, y compris de fiction, sont disposés le long de galeries bordées d'étagères de chêne. ◉ *83-84 Marylebone High Street W1 • Plan D3*

2 Button Queen
Dans cette charmante boutique, ensemble étourdissant de boutons, de l'argent ancien aux perles art déco.
◉ *19 Marylebone Lane W1 • Plan D3*

3 The Conran Shop
Cet établissement vend du design britannique moderne ou européen « historique », comme la chaise longue classique de Mies van der Rohe. ◉ *55 Marylebone High Street, W1 • Plan D3*

4 Divertimenti
Tout pour la cuisine : ustensiles, accessoires et vaisselle. Ouvert le dimanche après-midi. ◉ *45-47 Wigmore Street W1 • Plan D3*

5 London Beatles Store
Toutes sortes de souvenirs y évoquent le groupe le plus célèbre de Grande-Bretagne. À côté, boutique Elvis Presley.
◉ *230 Baker Street NW1 • Plan C3*

6 Talking Bookshop
Vaste sélection de livres sur cassettes audio ou vidéo, dont les classiques anglais, souvent lus par de grands acteurs.
◉ *11 Wigmore Street W1 • Plan C3*

7 John Lewis
Ce grand magasin sophistiqué se targue de « toujours proposer les prix les plus bas, à sa connaissance ». Si vous trouvez moins cher ailleurs, vous payez le prix du concurrent. Beau rayon de cadeaux au rez-de-chaussée et personnel particulièrement averti et obligeant. ◉ *278-306 Oxford Street W1 • Plan D3*

8 Selfridges
Ouvert en 1909, ce magasin s'orne d'une façade néoclassique garnie d'imposantes colonnes et d'une énorme pendule. Véritable institution, il est populaire pour son prêt-à-porter féminin.
◉ *400 Oxford Street W1 • Plan D3*

9 Marks and Spencer
Apprécié pour les sous-vêtements et l'alimentation.
◉ *458 Oxford Street W1 • Plan D3*

10 Debenhams
Grand magasin de classe moyenne, qui vend de tout, des outils aux jouets.
◉ *334–348 Oxford Street W1 • Plan D3*

132

Les autres boutiques **p. 170**

Catégories de prix

Pour un repas avec	**£** moins de 15 £
entrée, plat et dessert,	**££** de 15 à 25 £
une demi-bouteille	**£££** de 25 à 35 £
de vin, taxes et	**££££** de 35 à 50 £
service compris.	**£££££** plus de 50 £

Gauche **Ibla** Droite **L'enseigne décorative d'Ibla**

🔟 Boire et manger

1 Café Bagatelle
Situé dans la cour de la Wallace Collection, ce merveilleux restaurant sert des déjeuners exquis. Salades composées, risotto aux champignons sauvages et crème brûlée au chocolat et à la pistache avec sablés *(p. 50)*. ⊗ *Hertford House, Manchester Square W1 • Plan D3 • 020 7935 0687 • £££*

2 Original Tagines
Une carte de vins marocains accompagne les tagines et couscous copieux, également servis en version végétarienne. ⊗ *7A Dorset Street W1 • Plan C3 • 020 7935 1545 • ££*

3 Ibla
Ce restaurant italien au cadre élégant propose plusieurs menus et une excellente sélection de vins italiens. ⊗ *89 Marylebone High Street W1 • Plan D3 • 020 7224 3799 • ££££*

4 Reubens
L'un des meilleurs restaurants casher de Londres offrant, entre autres plats, foie haché et bœuf au sel. ⊗ *79 Baker Street W1 • Plan C3 • 020 7486 0035 • £££*

5 Mandalay
Café birman, chaleureux, bon marché et interdit aux fumeurs, qui propose un mélange de cuisines chinoise, indienne et thaïe. ⊗ *444 Edgware Road W2 • 020 7258 3696 • Plan B2 • £*

6 Patogh
Ce restaurant iranien spécialisé en kebabs attire une clientèle joyeuse. On n'y sert pas d'alcool, mais vous pouvez apporter bière et vin. ⊗ *8 Crawford Place W1 • Plan C3 • 020 7262 4015 • £*

7 Giraffe
Établissement original servant des repas légers aux saveurs internationales, du thaï au mexicain. ⊗ *6–8 Blandford Street W1 • Plan C3 • 020 7935 2333 • ££*

8 Orrery
Charmant restaurant servant une cuisine française inspirée. ⊗ *55 Marylebone High Street W1 • Plan D3 • 020 7616 8000 • £££££*

9 O'Conor Don
Pub irlandais authentique proposant huîtres et ragoûts avec leur Guinness, ainsi qu'un grand choix de whiskys. ⊗ *88 Marylebone Lane W1 • Plan D3 • 020 7935 9311 • ££*

10 ITS
Restaurant élégant de pâtes et de pizzas derrière Oxford Street. ⊗ *60 Wigmore Street W1 • Plan D3 • 020 7224 3484 • ££*

Remarque : Sauf indication contraire, tous les restaurants acceptent les cartes de paiement et proposent des plats végétariens.

133

Gauche **Girouette, Old Billingsgate Market** Droite **Old Billingsgate Market**

La City

L'ancien « mile carré » de Londres, délimité en gros par les remparts romains, est un mélange de rues et de ruelles aux noms médiévaux, de compagnies financières et de 38 églises, nombre d'entre elles dues à Sir Christopher Wren, St Paul's Cathedral en particulier. Visitez les vieux marchés du quartier : Smithfield, très vaste, Leadenhall, à de nombreux points de vue plus intéressant que Covent Garden, et l'ancien marché aux poissons de Billingsgate, offrant une vue grandiose sur l'ancien port de Londres, qui connut autrefois un trafic intense.

TOP 10 Les sites

1. Tower of London
2. St Paul's Cathedral
3. Tower Bridge
4. Barbican Centre
5. Museum of London
6. Guildhall
7. Guildhall Art Gallery
8. Bank of England Museum
9. Monument
10. St Katharine's Dock

Dragon de pierre, Smithfield Market

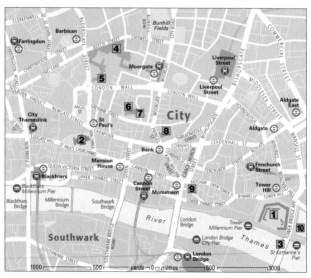

Le Tower Bridge et le port de Londres

Tower of London
p. 36-39

St Paul's Cathedral
p. 40-43

Tower Bridge
À l'âge d'or du port de Londres, ce pont spectaculaire *(p. 71)* ne cessait d'être levé et abaissé pour permettre aux cargos de livrer leurs marchandises en provenance de tous les coins de l'Empire. Lorsqu'il était levé, les piétons désirant traverser le fleuve gravissaient les 300 marches menant à la passerelle, à 40 m au-dessus de l'eau. Aujourd'hui, les visiteurs participant à la Tower Bridge Experience (visite guidée de 90 min) y montent encore pour admirer de beaux panoramas. Après avoir franchi l'entrée, sous la jetée nord, accomplissez un voyage dans le temps qui se termine dans la salle des machines. La sortie s'effectue par une boutique, sur la rive sud. ◈ *SE1 • Plan H4 • Ouv. 9h30-18h • EP*

Barbican Centre
Joyau culturel de la City, fondé, détenu et géré par la Corporation of London, le Barbican est un édifice moderne d'architecture complexe. Musique, danse, théâtre, cinéma et peinture y trouvent leur place, avec le concours de grands artistes. Ouvert en 1982, l'ensemble fait partie d'un projet de développement immobilier couvrant 8 ha et flanqué d'immeubles de 42 étages. De la station de métro Barbican, on y accède en franchissant une route surélevée et balisée, passant devant le Museum of London *(p. 136)* et dominant l'église de St Giles Cripplegate (1550), seul bâtiment ayant survécu aux bombes de la dernière guerre *(p. 56)*. ◈ *Silk Street EC2 • Plan R1*

Gauche **Barbican Centre** Droite **Tower of London**

5 Museum of London

Visite essentielle pour qui s'intéresse à l'histoire de Londres. Reconstitutions de rues, de boutiques et d'intérieurs domestiques, complétées par des visites de bâtiments historiques *(p. 48)*. Certaines parties peuvent être fermées pour rénovation. 🅜 *London Wall EC2 • Plan R1 • Ouv. lun.-sam. 10h-17h50, dim. 12h-17h50 • EP*

Peintures romaines, Museum of London

6 Guildhall

Depuis environ 900 ans, le Guildhall est le centre administratif de la City. Les cérémonies du quartier se déroulent dans le magnifique Great Hall, qui s'orne des bannières des principales corporations londoniennes. La bibliothèque accueille des expositions temporaires de magnifiques manuscrits historiques et une surprenante collection de montres et de pendules dont certaines remontent à 1600. 🅜 *Guildhall Yard, Gresham Street EC2 • Plan G3 • Ouv. lun.-sam. 9h-17h (hiver 10h-17h) • EG*

Dick Whittington

Un vitrail de St Michael, Paternoster Royal, représente Dick Whittington (et son chat), héros d'un célèbre conte de fées. En réalité, Richard Whittington, qui fut Lord Mayor de Londres à 4 reprises, entre 1397 et 1420, était un riche marchand qui se révéla le premier bienfaiteur de la City. Pionnier des toilettes publiques, il les fit construire au-dessus de la Tamise.

7 Guildhall Art Gallery

Du côté est de Guildhall Yard, se dresse la Guildhall Art Gallery, constituée de 2 niveaux de tableaux très intéressants, mais de qualité inégale. Nombre des œuvres ont un lien avec la City : préraphaélites et tableaux romantiques du XIXᵉ s., par exemple. À l'aide d'un catalogue informatisé, il vous est possible de contempler les 31 000 gravures et peintures du Guildhall. 🅜 *Gresham Street EC2 • Plan G3 • Ouv. lun.-sam. 10h-17h, dim. 12h-16h • EP*

8 Bank of England Museum

Des portiers en livrée accueillent les visiteurs de ce merveilleux édifice conçu par Sir John Soane (p. 107). On y voit 45 lingots d'or au milieu de la rotonde des années 1930, une carte des institutions financières de la City et un bureau

St Katharine's Dock, où s'amarrent les yachts

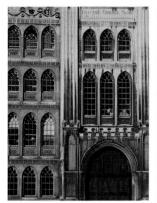
Façade du Guildhall

électronique similaire à ceux utilisés aujourd'hui par les marchands de titres.
⊗ *Bartholomew Lane EC4 • Plan G3 • Ouv. lun.-ven. 10h-17h • EG*

9 Monument
La taille de cette colonne de pierre de 62 m, la plus haute du monde, conçue par Sir Christopher Wren, est égale à la distance qui la sépare de l'endroit où s'alluma le Grand Incendie en 1666 – événement qu'elle commémore. À l'intérieur, 311 marches en spirale s'élèvent jusqu'à une plate-forme d'observation. Lorsque vous revenez vers l'entrée, vous recevez un certificat attestant votre ascension. ⊗ *Monument Street EC3 • Plan H4 • Ouv. t.l.j. 10h-17h40 • EP*

10 St Katharine's Dock
Près du Tower Bridge et de la Tower of London, détendez-vous en contemplant les gens fortunés sur leur yacht ou en observant les mariniers de la Tamise. Ce site abrite plusieurs cafés, dont le Dickens Inn avec terrasse et le restaurant l'Aquarium *(p. 71)*.
⊗ *E1 • Plan H4*

La City à pied

Le matin

Gravissez avec entrain les 311 marches du Monument et admirez les rues étroites environnantes convergeant vers la Tamise. Descendez ensuite Fish Street Hill. Après avoir traversé Lower Thames Street, continuez jusqu'à **St Magnus the Martyr** *(p. 138)*, où une maquette de l'ancien London Bridge montre cet édifice tel qu'il était au XVIIIe s.

Revenez sur vos pas sur Fish Street Hill, puis empruntez Philpot Lane jusqu'à Lime Street, où vous pouvez voir les allées et venues des ascenseurs de verre de l'immeuble Lloyd's of London, érigé par Richard Rogers en 1986. Pénétrez dans le hall ornementé de Leadenhall Market (1881), qui abrite des boutiques à la mode, des restaurants et des bars, et déjeunez à la St Luc's Brasserie.

L'après-midi

Admirez les bâtiments historiques le long de Cornhill. Contemplez le portique corinthien du Royal Exchange et écoutez son carillon à 15h. En face, se dresse la Mansion House, résidence officielle du Lord Mayor de Londres. Au nord, de l'autre côté de Threadneedle Street, s'élève la Bank of England. Poursuivez votre route jusqu'à Lothbury et le long de Gresham Street jusqu'au Guildhall, où la grande salle médiévale vaut d'être visitée.

Remontez ensuite Wood Street jusqu'au **Barbican** *(p. 135)* pour déguster un thé au Waterside Café. Étudiez les programmes de la soirée pour vous offrir un spectacle.

Gauche **Orgue de St Katherine Cree** Droite **Chapiteau sculpté de St Paul's Cathedral**

🔟 Églises de la City

1 St Paul's Cathedral
p. 40-43

2 St Bartholomew-the-Great
Église la plus ancienne de Londres, St Bartholomew, construite au XIIe s, comporte des éléments d'architecture romane *(p. 46)*. ◈ West Smithfield EC1 • Plan R1 • Ouv. mar.-ven. 8h30-17h (16h en hiver), sam. 10h30-13h30, dim. 14h30-18h • EG

3 St Mary-le-Bow
Située à Cheapside, cette église fut reconstruite par Wren après sa destruction lors du Grand Incendie de 1666. ◈ Cheapside EC2 • Plan G3 • Ouv. lun.-jeu. 6h30-18h, ven. 6h30-16h • EG

4 St Sepulchre-without-Newgate
La plus vaste église de la ville, au célèbre carillon de 12 cloches. Concerts à l'heure du déjeuner les mardis et mercredis. ◈ Holborn Viaduct EC1 • Plan Q1 • Ouv. mer.-jeu. 12h-14h, mer. 11h-15h • EG

5 St Katherine Cree
Purcell et Haendel jouèrent de l'orgue en ce lieu datant de 1630, l'une des 8 églises ayant survécu au Grand Incendie. ◈ Leadenhall Street EC3 • Plan H3 • Ouv. lun.-ven. 10h30-16h30 • EG

6 St Magnus the Martyr
Conçue par Wren dans les années 1670, l'église a conservé son élégante chaire. Récitals à l'heure du déjeuner toute l'année. ◈ Lower Thames Street EC3 • Plan H4 • Ouv. mar.-ven. 10h-15h, dim. 10h15-14h • EG

7 All Hallows by the Tower
Effectuez en 45 min avec un audioguide la visite de cette église qui remonte à la période saxonne. ◈ Byward Street EC3 • Plan H3 • Ouv. lun.-ven. 9h-17h45, sam. et dim. 10h-17h • EG

8 St Stephen Walbrook
L'église paroissiale du Lord Mayor est considérée comme la plus belle de Wren. ◈ Walbrook EC4 • Plan G3 • Ouv. lun.-jeu. 10h-16h, ven. 10h-15h • EG

9 Anne and St Agnes
Église luthérienne avec sa propre chorale, les St Anne's Singers. Concerts à l'heure du déjeuner lundi et vendredi. ◈ Gresham Street EC2 • Plan R2 • Ouv. lun.-ven. 10h-16h, offices le dim. • EG

10 St Lawrence Jewry
Magnifiques vitraux représentant des figures historiques. ◈ Guidhall EC2 • Plan R2 • Ouv. t.l.j. 7h30-14h • EG

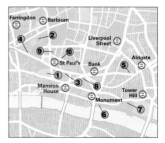

Les autres églises de Londres p. 46-47

Catégories de prix

Pour un repas avec entrée, plat et dessert, une demi-bouteille de vin, taxes et service compris.	**£** moins de 15 £
	££ de 15 à 25 £
	£££ de 25 à 35 £
	££££ de 35 à 50 £
	£££££ plus de 50 £

Terminus, gare de Liverpool Street

🍴10 Boire et manger

1 St John
Restaurant primé, pur délice pour les véritables amateurs de viande. 🚫 *26 St John Street EC1 • Plan F2 • 020 7251 0848 • PAH mais facilités à l'intérieur • £££*

2 Top Floor at Smiths Smiths of Smithfield
Autre régal pour carnivores invétérés, ce restaurant ne sert que des spécialités de viande en fonction du marché du jour. 🚫 *66–7 Charterhouse Street EC1 • Plan Q1 • 020 7251 7950 • £££*

3 Club Gascon
Haute cuisine du Sud-Ouest de la France. Choisissez 3 ou 4 plats, tels que cassoulet ou calamars, parmi 4 menus à thème, ou un menu « gourmet » à 5 plats incluant les vins. 🚫 *57 West Smithfield EC1 • Plan R1 • 020 7796 0600 • ££££*

4 Sweetings
Déjeuner exquis pour amateurs de poisson. Entrées traditionnelles, suivies de plats simples mais bien préparés de carrelet, haddock ou sole. Gardez de la place pour les desserts anglais : pudding au pain beurré ou roulé à la confiture. 🚫 *39 Queen Victoria Street EC4 • Plan R2 • 020 7248 3062 • Pas de CB • ££££*

5 Moshi Moshi Sushi
Bar à sushis avec tapis roulant, dans la gare de Liverpool Street. 🚫 *Unit 24, Liverpool Street Station EC2 • Plan H3 • 020 7247 3227 • £*

6 Terminus
Plats contemporains consistants, du mouton au hamburger, dans ce restaurant animé. 🚫 *40 Liverpool Street EC2 • Plan H3 • 020 7618 7400 • £££*

7 Noto Ramen House
Seules 32 personnes peuvent déguster les meilleures nouilles japonaises de la City. Pas d'alcool. 🚫 *7 Bread Street EC4 • Plan G3 • 020 7329 8056 • Pas de CB • £*

8 The Place Below
Cantine végétarienne populaire dans la crypte de l'église St Mary-le-Bow. 🚫 *Cheapside EC2 • Plan G3 • 020 7329 0789 • £*

9 Searcy's
Bon restaurant du complexe artistique Barbican, avec vue sur St Giles. 🚫 *Level 2, Barbican EC2 • Plan R1 • 020 7588 3008 • ££££*

10 Jamaica Wine House
Pub charmant de 1682. Bon choix de vins, bières et snacks. 🚫 *St Michael's Alley EC3 • Plan H3*

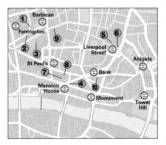

Gauche **Vue de Londres, Hampstead Heath** Droite **Camden Lock Market**

Nord de Londres

Au-delà de Regent's Park et des gares de Euston, King's Cross et St Pancras, s'étendent d'anciens villages autrefois distants de Londres, où les gens fortunés érigeaient des résidences pour fuir la ville. Nombre de ces demeures sont toujours debout. Certaines d'entre elles sont ouvertes au public, qui peut y flâner et évoquer le temps passé. Une partie des domaines forme maintenant Hampstead Heath, immense espace de verdure. Hampstead et Highgate sont toujours distincts de la zone urbaine qui les entoure. Leurs habitants, riches, cultivés et célèbres, s'enorgueillissent d'une architecture bien préservée, ainsi que de pubs et de restaurants accueillants. D'autres secteurs voisins dégagent une atmosphère différente. Camden, outre un marché en bordure du canal, comporte des bars et des restaurants fréquentés. Islington, plus sophistiqué, abrite des boutiques de mode, des antiquaires, de bons restaurants et des bars élégants.

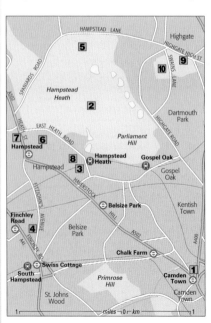

Le puits de Well Walk, Hampstead

Les sites

1. Camden Markets
2. Hampstead Heath et Parliament Hill
3. Keats House
4. Freud Museum
5. Kenwood House
6. Burgh House
7. Fenton House
8. 2 Willow Road
9. Lauderdale House
10. Highgate Cemetery

Hampstead Heath

Camden Markets
1 Les plus intéressants des marchés du nord de Londres sont reliés par Camden High Street, rue animée et pittoresque. Camden Market, près de la station de métro, regorge d'étals vendant des vêtements, des chaussures et des bijoux. Plus haut, au bord du canal, Camden Lock Market se consacre aux objets artisanaux et exotiques. Les éventaires des entrepôts de Stable Market proposent des aliments excellents. Ouv. le week-end, 8h-18h *(p. 65).*
🚇 *Camden High Street & Chalk Farm Road NW1 • Métro Camden Town*

Hampstead Heath
2 et Parliament Hill
Oasis de verdure, ce vaste espace ouvert est particulièrement agréable pour les promenades. Couvrant plus de 320 ha, il comporte des bois et des étangs où l'on peut se baigner ou pêcher. La colline de Parliament Hill, qui surplombe la ville, accueille les amateurs de cerf-volant *(p. 74).*
🚇 *Heath Information Centre, Staff Yard, Highgate Road NW5 • Métro Hampstead • 020 7482 7073*

Keats House
3 Keats Grove, près de Downshire Hill, est l'un des endroits les plus plaisants de Hampstead. Il abrite une jolie petite villa blanche où John Keats écrivit nombre de ses œuvres et qui détient des fac-similés de ses fragiles manuscrits et lettres, ainsi que des objets personnels. Lecture de poésies et discussions le mercredi *(p. 52).* 🚇 *Keats Grove NW3 • Train jusqu'à Hampstead Heath • Ouv. mar.-dim. 12h-17h • EP*

Freud Museum
4 Sigmund Freud et sa fille Anna vinrent s'installer dans cette maison lorsqu'ils quittèrent Vienne pour fuir l'occupation nazie. Le musée abrite une collection d'objets et de meubles anciens – dont le célèbre divan – ainsi qu'une bibliothèque incluant des premières éditions des œuvres du psychanalyste. 🚇 *20 Maresfield Gardens NW3 • Métro Swiss Cottage • Ouv. mer.-dim. 12h-17h • EP*

Regent's Canal, Camden Lock

5 Kenwood House

Dans un domaine idyllique orné d'un lac, à la limite de Hampstead Heath, s'élève une demeure remplie d'œuvres de grands maîtres, en particulier *La Joueuse de guitare* de Vermeer, ainsi qu'un autoportrait de Rembrandt. L'été, des concerts ont lieu au bord du lac. Le public s'assied dans l'herbe et pique-nique au son de la musique *(p. 51).* ◈ *Hampstead Lane NW3 • Métro Highgate • Ouv. 1er avr.-30 sept., t.l.j. 10h-18h ; oct., t.l.j. 10h-17h ; 1er nov.-31 mars, t.l.j. 10h-16h • EG*

6 Burgh House

La Burgh House (1703) abrite le Hampstead Museum, contenant des livres régionaux et une carte situant les demeures environnantes de gens célèbres. Outre la salle de musique, ornée de boiseries et utilisée pour des expositions, des concerts et des réunions, le bâtiment comporte The Buttery, café sur jardin. ◈ *New End Square NW3 • Métro Hampstead • Ouv. mer.-ven. et dim. 12h-17h • EG*

7 Fenton House

Cette splendide demeure est la plus ancienne de Hampstead (1686). Son exceptionnelle collection de porcelaines, meubles et broderies d'Europe ou d'Orient

Hampstead Wells

L'âge d'or de Hampstead remonte au début du XVIIIe s. lorsque l'on reconnut des propriétés médicinales à une eau de source de Well Walk. Pour bénéficier de ses bienfaits, les Londoniens se précipitèrent à cet endroit, qui abritait aussi une salle de concert et de danse. La station balnéaire connut peu à peu la défaveur du public, mais Hampstead conserva son statut de site à la mode.

fut léguée au National Trust avec la maison en 1952. Jardin clos avec un verger. ◈ *Windmill Hill NW3 • Métro Hampstead • Ouv. 31 mars-4 nov., mer.-ven. 14h-17h, sam. et dim. 11h-17h • EP*

8 2 Willow Road

Érigée en 1939 par l'architecte Ernö Goldfinger, qui y vécut avec son épouse artiste peintre, Ursula Blackwell, cette maison est l'un des exemples remarquables de l'architecture moderne au Royaume-Uni. Un film évoque la vie et l'univers du couple. Goldfinger conçut tout le mobilier et réunit quelques belles œuvres de Henry Moore, Max Ernst et Marcel Duchamp. ◈ *2 Willow Road NW3 • Train jusqu'à Hampstead Heath • Ouv. 31 mars-1er nov., jeu.-sam. 12h15-16h (vi. gui. seul.) • EP*

Gauche **Escalier de Burgh House** Droite **Fenton House**

Monument de Highgate Cemetery

9 Lauderdale House

La Lauderdale House (fin du XVIe s.), autrefois associée à Charles II et à sa maîtresse Nell Gwynne, abrite un centre d'art et de culture très fréquenté, organisant concerts, expositions et, le dimanche, foires à l'artisanat et aux antiquités.

🕔 *Highgate Hill N6 • Métro Highgate • Ouv. mar.-ven. 11h-16h, sam. 13h30-17h, 1 dim. sur 2, 12h-17h (horaires variables l'été).*

10 Highgate Cemetery

Highgate se développa grâce aux vastes demeures érigées par les aristocrates qui venaient y respirer l'air pur. Nombre des célébrités qui vécurent dans les environs sont enterrées dans le Highgate Cemetery. Peu après 1839, il fut fréquenté par les Londoniens en raison de son architecture victorienne et de sa situation offrant de beaux panoramas. Karl Marx et George Eliot sont inhumés dans la partie est, moins élégante *(p. 75)*.

🕔 *Swain's Lane N6 • Métro Archway • 020 8340 1834 • East Cemetery : Ouv. lun.-ven. 10h-17h, sam.-dim. 11h-17h (en hiver, 16h) • Fer. au public lors de funérailles (téléphoner). EP • West Cemetery : Vi. gui. avr.-oct. EP*

Découvrir le Nord

Le matin

🕐 Partez du métro Hampstead et prenez à gauche pour descendre la jolie Flask Walk jusqu'au musée de **Burgh House**, où vous découvrez l'histoire du quartier. Consacrez ensuite un moment à l'exploration des petites rues environnantes, bordées de somptueuses maisons du XVIIIe s. Visitez Well Walk, très à la mode lorsque Hampstead comportait une station balnéaire (une fontaine a survécu, sur la gauche dans Well Passage), et Elm Row, où D. H. Lawrence vécut au n°1.

☕ Faites une pause café à l'un des nombreux établissements de Hampstead High Street, puis rendez-vous à **Keats House** *(p. 141)*, pour flâner. Une promenade dans Hampstead Heath jusqu'à Kenwood House vous ouvrira l'appétit.

L'après-midi

📍 À côté de Kenwood House, le Brew House Café, qui sert d'excellents repas légers, surplombe le lac. Après le déjeuner, prenez 1h pour la visite de **Kenwood House**.

Quittez Hampstead Heath par East Lodge et prenez le bus n°210, qui vous ramène à Hampstead. Le véhicule passe devant la **Spaniards Inn** *(p. 63)* et Whitestone Pond, point le plus élevé du parc. Descendez du bus à l'étang et marchez jusqu'au métro, qui vous transporte jusqu'à Camden Town. Égarez-vous le reste de l'après-midi dans **Camden Lock Market** *(p. 141)* et terminez la journée par un dîner, à la **Lock Tavern**.

Gauche **Magasin d'antiquités de Camden Passage** Droite **Façade du Crafts Council**

🔟 Autres visites

1 Sadler's Wells
La plus grande salle de danse contemporaine de Londres accueille les étoiles du monde entier *(p. 57)*. ✆ *Rosebery Avenue EC1 • Plan F2 • 020 7863 8000 • www.sadlers-wells.com*

2 Camden Mall et Camden Passage
Dans ce marché d'antiquités, plus de 35 marchands vendent de tout, des meubles aux livres. Ouvert du mardi au samedi. ✆ *Camden Passage N1 • Plan F1*

3 Almeida Theatre
Ce petit théâtre, qui doit rouvrir au printemps 2003 après une intense rénovation, attire grands acteurs et metteurs en scène du Royaume-Uni et des États-Unis. ✆ *Almeida Street N1 • Métro Angel ou Highbury and Islington • 020 7359 4404 • www.almeida.co.uk*

4 Alexandra Palace
Situé dans un beau parc, ce pavillon d'exposition de 1873 offre maintes distractions, dont de régulières foires aux antiquités. Visite guidée des studios de la BBC (années 1920). ✆ *Métro Wood Green • BBC tours : 020 8365 2121*

5 King's Head Theatre Pub
Cet exquis pub victorien, doté d'un théâtre, présente des comédies musicales et des spectacles marginaux. Cuisine végétarienne au bar. ✆ *115 Upper Street N1 • Plan F1 • 020 7226 1916*

6 Camden Arts Centre
Réputé pour ses expositions d'art moderne, il abrite une excellente librairie d'art. ✆ *Arkwright Road NW3 • Train ou métro jusqu'à Finchley Road • 020 7435 2643*

7 Crafts Council
Expositions des plus belles productions du design britannique. Centre de documentation proposant livres, vidéos et base de données picturales. ✆ *44a Pentonville Road N1 • Plan F1 • Ouv. mar.-sam. 11h-18h, dim. 14h-18h • EG*

8 Hampstead Theatre
Ce théâtre d'avant-garde, qui accueille des spectacles nouveaux, a mis en scène des auteurs britanniques originaux tels que Harold Pinter. ✆ *Avenue Road NW3 • Métro Swiss Cottage • 020 7722 9301*

9 UK Golf Driving Range
« Practice » au centre de Londres avec 24 pistes de grande longueur, un magasin et un café. ✆ *Outer Circle, Regent's Park NW1 • Métro Camden Town • 020 7837 1616*

10 Raceway
L'un des secrets les mieux gardés de Londres (une piste de karting de 750 m), réservé aux groupes d'au moins 10 personnes, de plus de 18 ans : £70,50 pour un tour de 20 min, suivi de deux courses de 25 min avec trophées. ✆ *Central Warehouse, York Way N1 • Plan E1 • 020 7833 1000*

Les autres théâtres de Londres **p. 56-57**

Gauche **Metrogusto** Droite **Mango Room**

🔟 Boire et manger

1 Granita
Restaurant apprécié des habitants du quartier d'Islington, associant des saveurs du monde entier au sein de menus éclectiques variant régulièrement. ✆ *127 Upper Street N1 • Plan F1 • 020 7226 3222 • £££*

2 Manna
Cuisine uniquement végétarienne, servie avec style dans un restaurant moderne minimaliste. ✆ *4 Erskine Road, Primrose Hill NW3 • Métro Chalk Farm • 020 7722 8028 • £££*

3 Tartuf
Ce restaurant convivial propose des spécialités françaises remarquablement cuisinées, telles que la choucroute et les crêpes. Le lunch express, comprenant deux plats, coûte £4,80 (£5,50 le week-end). ✆ *88 Upper St NW1 • Plan F1 • 020 7288 0954 • £*

4 Metrogusto
Ce restaurant italien offre d'authentiques plats de pâtes, ainsi que quelques curiosités, comme la glace au parmesan. Excellents vins maison. ✆ *14 Theberton Street N1 • Plan F1 • 020 7226 9400 • £££*

5 Mango Room
Cuisine des Caraïbes dans un restaurant animé. Essayez le *camden curried goat* (curry de chèvre). ✆ *10 Kentish Town Road NW1 • Métro Camden Town • 020 7482 5065 • £££*

6 Lemonia
Plats grecs traditionnels et modernes, servis dans un décor de brasserie. Belle serre. ✆ *89 Regent's Park Road NW1 • Métro Chalk Farm • 020 7586 7454 • ££*

7 The Gaucho Grill
Cet établissement est spécialisé dans les steaks cuits au charbon sur un *asado*, méthode utilisée par les *gauchos* (cow-boys argentins). ✆ *64 Heath Street NW3 • Métro Hampstead • 020 7431 8222 • £££*

8 Louis Patisserie
Cet ancien salon de thé fait partie du folklore de Hampstead. Enfoncez-vous dans un sofa et goûtez l'un des gâteaux appétissants de la vitrine. ✆ *32 Heath Street NW3 • Métro Hampstead • 020 7435 9908 • £*

9 The Flask
Remontant à 1700, ce pub d'atmosphère campagnarde sert de la bière en tonneau et des plats maison, au déjeuner et au dîner entre 18h et 20h30. ✆ *14 Flask Walk NW3 • Métro Hampstead • 020 7435 4580 • £*

10 Spaniards Inn
À Hampstead Heath, ce pub, l'un des plus célèbres de Londres, sert des plats anglais traditionnels, mêlés parfois à des recettes plus exotiques, comme les calamars. ✆ *Spaniards Road NW3 • 020 8731 6571 • Métro Hampstead, Golders Green • £*

Remarque : Sauf indication contraire, tous les restaurants acceptent les cartes de paiement et proposent des plats végétariens.

Gauche **Old Royal Naval College, Greenwich** Droite **Cerfs dans Richmond Park**

Sud et Ouest de Londres

Les palais qui ornaient autrefois le fleuve au sud et à l'ouest de la ville furent construits sur des sites restés aujourd'hui très prisés – Hampton Court, Richmond et Greenwich. Dans un vaste méandre de la Tamise, se dressait un château de style Tudor qui s'imposait au regard des voyageurs approchant de Londres en bateau. Il fut remplacé par le Royal Naval College de Christopher Wren, stupéfiant édifice au bord de l'eau, attrait principal du lieu classé au Patrimoine mondial. Parmi les merveilles de Greenwich Park, citons l'Old Royal Observatory Greenwich, qui règle le temps de toute la planète. À Richmond, le palais a disparu, mais en face du parc s'étend Kew Palace, érigé sur les passionnants Royal Botanic Gardens. Dans les environs, Chiswick House, Ham House et Syan House se distinguent parmi de nombreux manoirs. Non loin, on trouve la Dulwich Picture Gallery et le Horniman Museum.

🔟 Les sites

1. Hampton Court
2. Greenwich
3. Royal Botanic Gardens, Kew
4. Richmond
5. Dulwich Picture Gallery
6. Chiswick House
7. Horniman Museum
8. Syon House and Park
9. Ham House
10. Wimbledon Tennis Museum

Ornements de l'entrée, Richmond Palace

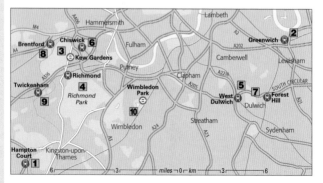

Palmeraie, Kew Gardens

1 Hampton Court

Le palais et ses jardins, avec un amusant labyrinthe, constituent l'une des sorties favorites des Londoniens. Il est possible d'effectuer des visites de 6 zones différentes avec des guides en costume ou des audioguides. Le site accueille des événements culturels tels qu'un festival de musique d'une semaine en juin. En juillet, s'y tient la plus grande exposition florale du monde. Pour vous rendre à Hampton Court, un train part toutes les 30 min de la gare de Waterloo. Mais si vous avez envie d'une délicieuse croisière, prenez à Westminster Pier un bateau qui effectue le parcours en 4h *(p. 54-55)*. ✎ *East Molesey, Surrey*
• *Train jusqu'à Hampton Court*
• *Ouv. avr.-oct., mar.-dim. 9h30-18h, lun. 10h15-18h ; nov.-mars, mar.-dim. 9h30-16h30, lun. 10h15-16h30 • EP*

2 Greenwich

Le site classé au Patrimoine mondial comprend l'Old Royal College de Christopher Wren, Greenwich Park *(p. 29)* et l'Old Royal Observatory Greenwich où passe le méridien de longitude 0°. Dans le parc s'élèvent la Queen's House *(p. 55)* et le National Maritime Museum *(p. 48)*. Greenwich propose des restaurants et des boutiques d'inspiration marine, ainsi qu'un marché d'artisanat et de meubles anciens. Le *Cutty Sark (p. 71)*, ancien clipper, et le Gipsy Moth IV, yacht utilisé pour un tour du monde en solitaire, sont amarrés tout près. ✎ *Greenwich SE10* • *Train jusqu'à Greenwich ; DLR Cutty Sark, Greenwich ; Métro North Greenwich* • *Royal Observatory Greenwich : ouv. t.l.j. 10h-17h • EP*

3 Royal Botanic Gardens, Kew

Au sein de cet ancien jardin botanique royal, s'étend la plus vaste collection de plantes du monde, comprenant quelque 30 000 spécimens. Kew Palace et Queen Charlotte's Cottage *(p. 54)* furent habités par George III, dont la mère, la princesse Augusta, traça le premier jardin. Empruntez un Kew Explorer Bus et descendez quand vous le désirez. ✎ *Richmond, Surrey*
• *Train et métro Kew Gardens*
• *Ouv. t.l.j. 9h30-crépuscule • EP*

Gauche **Gipsy Moth IV** Centre **Horloge du Royal Observatory** Droite **Queen Charlotte's Cottage**

Les autres sites royaux de Londres **p. 54-55**

Richmond

4 Cette jolie banlieue cossue au bord de l'eau vaut une visite. Comportant des boutiques et des pubs désuets, elle s'orne de belles allées, en particulier les promenades le long du fleuve et dans le parc royal *(p. 74)*. Un immense terrain de sport, où l'on joue au cricket l'été, est surplombé par le Richmond Theatre, restauré de façon exquise, et par le Maids of Honour Row, pub du début du XVIIIe s., qui se dresse près des vestiges d'un énorme palais de style Tudor. Visitez le musée local, dans l'Old Town Hall, où se trouve l'office du tourisme. *Richmond, Surrey • Train jusqu'à Richmond • Museum of Richmond : ouv. mar.-sam. 11h-17h, mai-sept., dim. 13h-16h • EP*

Façade restaurée du Richmond Theatre

Dulwich Picture Gallery

5 Cette galerie *(p. 51)* mérite une visite. Outre sa collection remarquable, s'y tiennent régulièrement expositions, conférences à l'heure du déjeuner le jeudi, et événements culturels, avec musique, nourriture et vin, auxquels tout le monde est convié. *College Road SE21 • Train jusqu'à North ou West Dulwich • Ouv. mar.-ven. 10h-17h, sam.-dim. 11h-17h • EP (EG ven.)*

Greenwich Palace

De nombreux monarques (Henry VI, Henry VII et Henry VIII) vécurent dans ce palais, dont les ruines s'étendent au-dessous de la pelouse de l'Old Naval College. Construit en 1462 il fut abandonné en 1652, et remplacé par les bâtiments actuels de Wren.

Chiswick House

6 Monument de l'architecture anglaise du XVIIIe s., cette villa carrée, ornée d'un dôme et d'un portique et érigée par Lord Burlington, abrite un intérieur peint par William Kent. Temples, statues et lac complètent ce jardin à l'italienne. *Burlington Lane, Chiswick W4 • Métro Turnham Green • Ouv. été, t.l.j. 10h-18h ; hiver, mer.-dim. 10h-16h • EP*

Horniman Museum

7 Récemment agrandi, ce musée original plaît aux adultes comme aux enfants. Une exposition de créatures donnant la chair de poule s'étend le long d'une galerie interactive consacrée à la musique et à la culture internationales. Le café donne sur un jardin de plus de 5 ha. *London Road, Forest Hill SE23 • Train jusqu'à Forest Hill • Ouv. lun.-sam. 10h30-17h30, dim. 14h-17h30 • EP*

Gauche **Ruelle de Richmond** Droite **Chiswick House**

Ham House

8 Syon House and Park

Dans cette somptueuse villa néoclassique vit le duc de Northumberland. Décorée par Robert Adam, elle s'orne d'un jardin de 16 ha tracé par Capability Brown et dominé par une serre magnifique. Le parc contient une volière à papillons et un centre aquatique.

⊗ *Brentford, Middlesex • Train jusqu'à Kew Bridge • Ouv. avr.-oct. mer., jeu. et dim. 11h-17h (jardins ouv. t.l.j. 10h-17h30) • EP*

9 Ham House

Cette superbe maison du XVIIe s., ornée d'un jardin, fut au centre d'intrigues de cour sous le règne de Charles II. Richement décorée et meublée, elle abrite une belle collection de tableaux. Le menu de l'Orangerie s'inspire de plats du XVIIe s.

⊗ *Richmond, Surrey • Train jusqu'à Richmond • Ouv. Pâques à oct., sam.-mer. 13h-17h (jardin 10h30-18h) • EP*

10 Wimbledon Tennis Museum

Offrant une vue sur le court central, le musée raconte l'histoire du tennis, de ses balbutiements à son statut de grand sport. Le 1er championnat se déroula à Wimbledon en 1877.

⊗ *Church Road, Wimbledon SW19 • Métro Southfields • Ouv. t.l.j. 10h30-17h (sauf pendant le championnat en juin-juil.) • EP*

Une journée au bord de l'eau à Greenwich

Le matin

🕐 Il est plus agréable d'arriver à **Greenwich** en bateau (p. 147) : commencez donc la journée à Westminster Pier. Le trajet, qui prend de 50 à 60 min (£6 aller, £7,50 retour), offre des vues magnifiques du fleuve (p. 70-71). Le **Cutty Sark** (p. 71), clipper qui servait au transport du thé, amarré tout près, vaut d'être visité. Pénétrez ensuite dans le Greenwich Gateway, centre touristique, pour organiser votre visite.

Derrière l'édifice, s'étend Greenwich Market. Buvez un café et explorez les rues environnantes bordées de magasins d'antiquités et de boutiques d'accessoires de marine. Entrez dans l'Old Royal Naval College, conçu par Christopher Wren, faites le tour de Grand Square et redescendez vers le fleuve. Pour déjeuner, installez-vous à la Nelson Tavern, qui surplombe la Tamise, à l'extrémité du Royal College.

L'après-midi

Remontez jusqu'au **National Maritime Museum** (p. 48) et achetez un billet englobant la visite du Royal Observatory Greenwich (p. 147), situé derrière, sur la colline. Consacrez 2h à ce musée fascinant, puis dirigez-vous vers l'Observatory. Placez-vous sur le méridien 0°, qui détermine les heures de la planète entière, et faites-vous éventuellement photographier, un pied sur l'hémisphère ouest, l'autre sur l'hémisphère est. Rentrez en bateau ou en train de la gare de Greenwich.

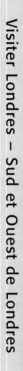

Gauche **Battersea Park** Droite **Brixton Market**

10 Autres visites

1 Brixton Market

Ce marché pittoresque, où règne l'arôme des mets exotiques, s'étend au cœur de la communauté originaire des Caraïbes. Très animé, il déverse sur les passants des flots de musique. Tissus bon marché, produits frais et disques vinyles. Ouvert du lundi au samedi de 8h à 17h. ⊗ *Electric Avenue to Brixton Station Road SW9 • Métro Brixton*

2 Battersea Arts Centre

L'un des grands théâtres de proche banlieue proposant un vaste programme de spectacles. ⊗ *Lavender Hill SW11 • Train jusqu'à Clapham Junction • 020 7223 2223*

3 Battersea Park

Un lac pour canoter, un zoo pour les enfants, des équipements sportifs et une galerie d'exposition cohabitent avec un bois, une réserve naturelle et un jardin médicinal. ⊗ *Battersea Park SW11 • Train jusqu'à Battersea Park • Ouv. t.l.j. 7h30-22h*

4 The Bush

Ce théâtre proche du West End est l'une des salles de prédilection des auteurs nouveaux. ⊗ *Shepherd's Bush Green W12 • Métro Shepherd's Bush • 020 7610 4224*

5 Merton Abbey Mills

Village d'art et d'artisanat avec moulin à eau, pub, restaurant, boutiques et marché. Festivals artistiques en été. ⊗ *Merantum Way SW19 • Métro Colliers Wood*

6 Wetland Centre

Grande réserve d'oiseaux au bord de la Tamise, où l'on peut explorer différents habitats ainsi qu'un centre de découverte *(p. 75).* ⊗ *Barnes SW13 • Train jusqu'à Barnes • Ouv. t.l.j. 9h30-18h (hiver, 9h30-17h) • EP*

7 Wimbledon Common

Visitez le moulin et ne vous perdez pas sur cet espace de près de 450 ha. Dirigez-vous au sud vers le Crooked Billet et le Hand in Hand, 2 pubs agréables. ⊗ *Wimbledon Common SW19 • Train jusqu'à Wimbledon*

8 Wimbledon Stadium

Assistez aux courses de lévriers et encouragez vos favoris depuis les stands ou l'un des restaurants. ⊗ *Plough Lane SW17 • Métro Wimbledon Park • Courses mar., ven., sam. 7h30-22h • EP*

9 Firepower

Nouveau musée sur le site historique de la Royal Artillery : des centaines de pièces exposées et une présentation multimédia spectaculaire. ⊗ *Royal Arsenal, Woolwich SE18 • Train jusqu'à Woolwich Arsenal • Ouv. t.l.j. 10h-17h • EP*

10 Museum of Rugby

Au Twickenham Stadium, foyer national du rugby et lieu sacré pour les fans. L'entrée inclut une visite guidée du stade. ⊗ *Rugby Road, Twickenham, Middlesex • Train jusqu'à Woolwich Arsenal • Ouv. t.l.j. 10h-17h • EP*

Catégories de prix

Pour un repas avec	£	moins de 15 £
entrée, plat et dessert,	££	de 15 à 25 £
une demi-bouteille	£££	de 25 à 35 £
de vin, taxes et	££££	de 35 à 50 £
service compris.	£££££	plus de 50 £

The River Café

Boire et manger

1 The River Café
Le « meilleur restaurant italien hors d'Italie », telle est la réputation de cet établissement de Fulham, situé dans un ancien entrepôt avec terrasse donnant sur le fleuve. ◎ *Thames Wharf, Rainville Road W6 • Métro Hammersmith • 020 7381 8824 • £££££*

2 Putney Bridge
La superbe vue sur le fleuve offerte par ce restaurant vitré élégant est appréciée tout au long de l'année, ainsi que l'excellent menu français. ◎ *The Embankment SW15 • Métro Putney Bridge • 020 8780 1811 • £££££*

3 Canyon
Cuisine américaine et solides portions au bord du chemin de halage. Fameux pour ses brunchs et rôtis le week-end. ◎ *Riverside, Richmond, Surrey • Métro/train jusqu'à Richmond • 020 8948 2944 • £££*

4 The Glasshouse
Délicieuse cuisine européenne moderne dans un restaurant décontracté. ◎ *14 Station Parade, Kew, Surrey • Métro Kew Gardens • 020 8940 6777 • PAH • £££*

5 The Gate
Probablement le meilleur restaurant végétarien de Londres. Le menu gourmet varie régulièrement et les recettes sont à la fois inventives et généreuses. Fermé le dimanche. ◎ *51 Queen Caroline Street W6 • Métro Hammersmith • 020 8748 6932 • PAH • ££*

6 The Atlas
Pub convivial, servant une cuisine méditerranéenne et des vins excellents. *Ale* authentique et jardin agréable. ◎ *16 Seagrave Road, Fulham SW6 • Métro West Brompton • 020 7385 9129 • £££*

7 Monsieur Max
Ce restaurant français fabuleux, pourtant simple et paisible, respire la gourmandise gauloise. Le menu varie tous les jours. ◎ *133 High Street, Hampton, Surrey • Train jusqu'à Fulwell • 020 8979 5546 • ££££*

8 Bush Bar and Grill
Établissement très moderne dans un quartier ancien de la ville. Superbes cocktails au bar élégant. Bonne cuisine anglo-française au restaurant. ◎ *45A Goldhawk Road W12 • Métro Goldhawk Road • 020 8746 2111 • ££*

9 Tandoori Kebab Centre
L'un des meilleurs restaurants asiatiques du quartier, spécialisé dans les *balti* à la friteuse et les *tandoori*. ◎ *161–163 The Broadway, Southall, Middlesex • Train jusqu'à Southail • 020 8571 5738 • £*

10 The Dove
Le plus petit bar de Grande-Bretagne. Un feu de bois, une bonne bière locale, une terrasse au bord de l'eau : ce pub frôle la perfection. Bonne cuisine servie au déjeuner et au dîner. ◎ *19 Upper Mall W6 • Métro Hammersmith*

Remarque : Sauf indication contraire, tous les restaurants acceptent les cartes de paiement et proposent des plats végétariens.

Gauche **Columbia Road Market** Droite **Usine de bonbons bengalis**

Est de Londres

L'East End est en plein essor. Ce quartier ouvrier animé, où rôda autrefois Jack l'Éventreur, et qui abritait autrefois les dockers, s'enorgueillit d'avoir accueilli plusieurs générations d'immigrants. Depuis les années 1980, il connaît une transformation radicale. Aujourd'hui, le monde des médias et celui de la finance occupent le nouvel et élégant secteur immobilier des Docklands. À Hoxton, restaurants et galeries ont surgi de terre et une foule de marchés du dimanche, dont celui très branché de Spitalfields, attirent des nouveaux habitants qui s'émerveillent de l'architecture intacte des XVIIIe et XIXe s. dont s'orne cette partie de Londres.

10 Les sites

1. Canary Wharf
2. Museum In Docklands
3. Hoxton
4. Whitechapel Art Gallery
5. Bethnal Green Museum of Childhood
6. Spitalfields
7. Thames Flood Barrier
8. Brick Lane
9. Columbia Road Market
10. Geffrye Museum

Canada Tower, tour de 50 étages, Canary Wharf

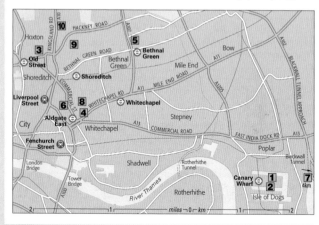

Voûte vitrée de la gare de Canary Wharf

1 Canary Wharf

La pièce maîtresse des Docklands est Canary Wharf, où se dresse la Canada Tower, gratte-ciel de 240 m et 50 étages, conçu par Cesar Pelli. La tour est fermée au public, mais les visiteurs peuvent pénétrer dans certains autres secteurs, en particulier dans le mail, comportant magasins, restaurants et bars. Le chef-d'œuvre de cet ensemble est la gare de Canary Wharf, réalisée par Norman Foster. ✪ *Métro et DLR Canary Wharf*

2 Museum In Docklands

Ce musée retrace l'histoire des Docklands. Expositions et photographies relatives à la construction navale illustrent le tournant du XXᵉ s., âge d'or des docks, dont le trafic était alors le plus important du monde. On admire également le salon du *Queen Mary* (années 1920) avec ses élégants accessoires art déco, ainsi qu'une reconstitution d'un quai de chargement des années 1930. ✪ *Nᵒ 1 Warehouse E14 • Métro et DLR Canary Wharf • Ouvert. prévue à l'automne 2002, t.l.j. 10h-18h*

3 Hoxton

C'est l'endroit tout indiqué pour admirer les dernières créations de l'art britannique contemporain. Hoxton Square abrite la galerie White Cube, où exposèrent à leurs débuts de grands artistes du groupe « Brit Pack » tels que Damien Hirst, Sarah Lucas et Tracey Emin. Le Lux Centre présente des films d'art. Acrobates et autres artistes de cirque donnent des spectacles au Circus Space, au nord de Hoxton Market. Parmi les cafés et restaurants populaires, citons le Hoxton Kitchen and Bar et le Real Greek *(p. 157)*. ✪ *Métro Old Street*

4 Whitechapel Art Gallery

Cette excellente galerie est réputée pour ses expositions de créations récentes d'art contemporain international. La Whitechapel a lancé David Hockney, Gilbert et George et Anthony Caro. La façade Art nouveau dissimule une superbe librairie et un café. ✪ *Whitechapel High Street E1 • Plan H3 • Ouv. mar.-dim. 11h-17h (mer. 20h) • EG*

Gauche **Équipement de plongée, Museum In Docklands** Droite **Entrée 1901, Whitechapel Art Gallery**

5 Bethnal Green Museum of Childhood

Poupées, ours en peluche, trains électriques et jeux de toutes les époques. Chaque week-end, les moins de 5 ans disposent d'une aire de jeux et un atelier de peinture est proposé aux plus âgés. Les expositions en cours sont complétées par des animations régulières. ✪ *Cambridge Heath Road E2 • Métro Bethnal Green • Ouv. sam.-jeu. 10h-17h50 • EG*

6 Spitalfields

Des rues telles que Fournier Street, bordées de maisons construites au XVIIIe s. par des tisseurs de soie huguenots, rappellent que ce quartier, à l'est de la City, accueille des immigrants depuis plusieurs centaines d'années. Old Spitalfields Market, le plus ancien marché de Londres, qui vend depuis toujours de la nourriture, est bordé de plusieurs magasins et cafés. Le dimanche, des étals de vêtements de marque et d'objets artisanaux attirent une foule désireuse de faire une affaire. En face du marché se dresse Christ Church (1716), l'une des plus grandes églises baroques d'Europe, conçue par un élève de Wren, l'architecte Nicholas Hawksmoor (1661-1736). ✪ *Commercial Street E1* • ✪ *Plan H2*

Christ Church Spitalfields

Londres et les huguenots

Poussés hors de France en 1685 en raison de la persécution exercée par les catholiques, les huguenots étaient pour la plupart des tisseurs de soie. Certains maîtres et négociants construisirent les magnifiques maisons du XVIIIe s. autour de Fournier Street. Bien que la soie de Spitalfields fût célèbre pour sa qualité et son raffinement, cette industrie périclita vers le milieu du XIXe s.

7 Thames Flood Barrier

S'élevant du fleuve comme une série d'ailerons de requins, ce barrage constitue un saisissant spectacle *(p. 71).* ✪ *Visitors' Centre • Unity Way SE18 • Train en direction de Charlton • Ouv. t.l.j. 10h30-16h30 • EP*

8 Brick Lane

Autrefois située au centre du quartier juif de Londres, cette rue est maintenant habitée par la communauté originaire du Bangladesh. On y déguste une cuisine indienne authentique dans des restaurants tels que Preem and Shampan, où un repas complet ne coûte que £6. Le Bagel Bake, au n°159, sert de divins *bagels*. Outre de magnifiques boutiques de saris, la rue abrite, le dimanche, un marché aux puces. ✪ *Brick Lane • Métro Aldgate East*

Gauche **Brick Lane Music Hall** Droite **Salle à manger, Geffrye Museum**

Columbia Road Market

Columbia Road Market

9 Le dimanche matin, les Londoniens affluent vers les marchés des quartiers est. Petticoat Lane s'étend sur Middlesex Street et propose des vêtements et des accessoires pour la maison à bon marché. Outre la brocante de Brick Lane, un marché aux fleurs se tient sur Columbia Road, à 10 min de Brick Road. On y trouve à profusion tout ce qui concerne l'horticulture à des prix très bas.
◈ Columbia Road E2 • Métro Old Street • Petticoat Lane • Métro Aldgate East

Geffrye Museum

10 Consacré à l'évolution de la vie de famille et de la décoration intérieure, ce musée abrite une succession de salles de styles très distincts. Ancien hospice construit en 1715, l'édifice a été transformé. Vous pouvez flâner dans un salon du XVIIe s. orné de boiseries, dans un appartement des années 1930 ou dans un loft contemporain. Entre avril et octobre, visitez les jardins.
◈ Kingsland Road E2 • Plan H2 • Ouv. mar.-sam. 10h-17h, dim. 12h-17h

Une journée dans l'East End

Le matin

⊕ Partez d'**Old Spitalfields Market**, près de la gare de Liverpool Street, consacré aux aliments bio pendant la semaine et élargi aux dimensions d'un immense marché le dimanche.

🍽 Dégustez un petit-déjeuner dans un café alentour.

En sortant par le sud-est, traversez pour pénétrer dans Fournier Street, où la galerie du n°5, anciennes demeures de tisseurs de soie, a conservé ses boiseries originales. Flânez le long de Princelet Street et Elder Street, qui donnent dans Fournier Street.

Dirigez-vous vers **Brick Lane**, bordée de magasins de saris et d'objets du Bangladesh. Faites une pause déjeuner à l'un des nombreux restaurants de currys qui bordent la rue.

L'après-midi

Bifurquez à droite dans Whitechapel Road et admirez la façade art nouveau de la **Whitechapel Art Gallery** (p. 153) avant d'y pénétrer pour voir l'exposition d'art contemporain sur 3 niveaux. Arrêtez-vous à la librairie pour choisir un souvenir à £1, délivré par une machine automatique.

Empruntez le Docklands Light Railway (à partir de Tower Gateway, à quelques pas de Whitechapel) offrant des panoramas de l'est de Londres. Descendez à Canary Wharf pour contempler l'architecture ornant Cabot Square et prenez un verre au **Via Fosse** (p. 157).

 Les autres boutiques **p. 170**

Gauche **Folie, Victoria Park** Droite **Voile, au Docklands Watersports Centre**

⁊10 Autres visites

1 Theatre Royal Stratford East
Fondé en 1953 par Joan Littlewood, metteur en scène d'avant-garde, ce théâtre de réputation internationale donne des représentations d'œuvres modernes. Il jouxte un centre artistique comportant une galerie et un cinéma. ✒ *Gerry Raffles Square E15 • DLR Stratford East • 020 8534 0310*

2 Victoria Park
Très beau parc à l'est de Londres abritant deux lacs où naviguent des modèles réduits de bateaux le week-end, des jardins d'ornement, un zoo, des courts de tennis et un bowling. ✒ *Bow E9 • Métro Bethnal Green*

3 18 Folgate Street
Cette demeure de tisserand du XVIIIᵉ s. *(p. 154)* a conservé son aspect d'antan. Les premiers dimanche et lundi de chaque mois, elle ouvre au public son univers recréé par Dennis Severs. Chaque pièce semble habitée : le dîner, entamé, est sur la table et des odeurs appétissantes parviennent de la cuisine. ✒ *18 Folgate Street E1 • Plan H2 • Ouv. 1ᵉʳ dim. du mois 14h-17h, 1ᵉʳ lun. du mois 12h-14h et soir • 020 7247 4013 • EP*

4 Sutton House
Demeure de marchand de style Tudor, la plus ancienne de l'East End (1535). Ouvert vendredi, samedi, dimanche et lundis fériés. ✒ *2-4 Homerton High Street E9 • Métro Bethnal Green, puis bus 253 • 020 8986 2264*

5 London Arena
La plus grande salle de concert des Docklands, et stade de sport couvert, abrite également l'équipe de hockey sur glace London Knights, qui joue le week-end, de septembre à mars. Une rénovation est prévue à partir de l'été 2003. ✒ *Limeharbour E14 • DLR Crossharbour • 020 7538 1212*

6 Cabot Hall
Salle des Docklands proposant des concerts gratuits à l'heure du déjeuner. ✒ *Canary Wharf E14 • DLR Canary Wharf • 020 7418 2780*

7 Docklands Sailing and Watersports Centre
On peut y pratiquer voile, aviron et canoë. ✒ *Millwall Dock, Westferry Road E14 • DLR Crossharbour • 020 7537 2626*

8 Mudchute Farm
La plus grande ferme urbaine de Grande-Bretagne abrite animaux et manège. ✒ *Pier Street E14 • Ouv. t.l.j. 9h-17h • DLR Crossharbour • 020 7515 5901*

9 ExCel
Impressionnant nouvel ensemble près des Royal Victoria Docks avec boutiques, cafés et espace d'exposition. ✒ *Victoria Dock Road E16 • DLR Custom House.*

10 Mile End Park
Skateboard, BMX, roller et karting. ✒ *Mile End Road E3 • Métro Mile End • 020 7264 4660 (Environment Trust)*

Bar-restaurant Cantaloupe

<table>
<tr><td colspan="2">Catégories de prix</td></tr>
<tr><td>Pour un repas avec</td><td>£ moins de 15 £</td></tr>
<tr><td>entrée, plat et dessert,</td><td>££ de 15 à 25 £</td></tr>
<tr><td>une demi-bouteille</td><td>£££ de 25 à 35 £</td></tr>
<tr><td>de vin, taxes et</td><td>££££ de 35 à 50 £</td></tr>
<tr><td>service compris.</td><td>£££££ plus de 50 £</td></tr>
</table>

TOP10 Boire et manger

1 The Real Greek
Restaurant primé servant la meilleure cuisine grecque de Londres. Commencez par des *mezzes*. Excellents vins grecs. ✎ *15 Hoxton Market N1 • Plan H2 • 020 7739 8212 • ££££*

2 Hoxton Kitchen and Bar
Repaire populaire des artistes de Hoxton, qui sert café et boissons toute la journée. Au déjeuner, repas légers : brochettes de poulet au barbecue, quiches à l'artichaut et pâtes diverses. ✎ *2 Hoxton Square N1 • Plan H2 • 020 7613 0709 • £*

3 Shoreditch Electricity Showrooms
Anciens magasins transformés en bar ouvert, comportant un restaurant éclairé au néon à l'arrière et servant une cuisine européenne moderne. Danse au sous-sol le vendredi, le samedi et certains jours de semaine. ✎ *39A Hoxton Square N1 • Plan H2 • 020 7739 6934 • £££*

4 Great Eastern Dining Room
Restaurant italien élégant attirant une clientèle jeune. Tapenade et blancs de poulet aux grenades. ✎ *54 Great Eastern Street EC2 • Plan H2 • 020 7613 4545 • £££*

5 Cargo
Originalement situé sous trois arches de voie ferrée, cet espace se voue à la musique et aux nourritures terrestres jusqu'à 1h. Concerts tous les soirs dans l'arrière-salle. ✎ *Kingsland Viaduct, 83 Rivington Street EC2 • Plan H2 • 020 7739 3440 • £*

6 Home
Ce bar de sous-sol, orné de mobilier domestique, propose un bon restaurant à l'étage. ✎ *100-106 Leonard Street EC2 • Plan H2 • 020 7684 8618 • ££*

7 Cantaloupe
Grand bar d'entrepôt. Frites et autres snacks servis au bar et coin restaurant proposant une cuisine méditerranéenne. ✎ *35-42 Charlotte Road EC2 • Plan H1 • 020 7613 4411 • ££*

8 Via Fosse
Lors de votre visite des Docklands, arrêtez-vous à ce bar occupant 3 niveaux d'un ancien entrepôt de café. ✎ *West India Quay E14 • DLR West India Quay • 020 7515 8549*

9 Café Spice Namaste
Établissement d'une chaîne de restaurants indiens proposant des plats régionaux et de la cuisine de Goa. ✎ *16 Prescot Street E1 • Métro Tower Hill • 020 7488 9242 • £££*

10 Prospect of Whitby
Excellent pub de l'East End remontant à 1520. Vieilles poutres, tonneaux, bar d'étain et belles vues sur l'eau. ✎ *37 Wapping Wall E1 • Métro Wapping • 020 7481 1095*

Remarque : *Sauf indication contraire, tous les restaurants acceptent les cartes de paiement et proposent des plats végétariens.*

MODE D'EMPLOI

LONDRES TOP 10

Fête des couleurs par temps de pluie

10 Préparer son voyage

1 Qu'emporter

Prévoyez des vêtements pour tous les temps, en particulier un imperméable et un parapluie, même en été. En hiver, il vous faut un pull-over et un manteau chaud. La tenue habillée est rarement obligatoire, mais les Londoniens l'adoptent pour se rendre à l'opéra, à certains spectacles de théâtre ou dans les restaurants chic.
En été, emportez de la crème solaire.

2 Argent

Pour plus de sécurité, emportez une carte de retrait ou des chèques de voyage. Vérifiez que votre carte est acceptée au Royaume-Uni, ce qui est souvent le cas. Ayez un peu d'espèces britanniques. La somme que vous introduisez en Grande-Bretagne et celle que vous remportez ne sont pas limitées. *(Banques p.165).*

3 Passeport et visa

Un passeport en cours de validité est nécessaire pour entrer au Royaume-Uni. Les visiteurs de l'U.E., du Commonwealth ou des États-Unis n'ont pas besoin de visa. Renseignez-vous auprès de votre ambassade britannique. Contactez votre propre ambassade à Londres si votre séjour doit excéder 6 mois.

4 Réglementation douanière

En dehors des armes à feu, des plantes et des aliments périssables, vous pouvez à peu près tout introduire au Royaume-Uni. Si vous devez suivre un traitement médical, emportez vos médicaments.

5 Assurances

Prenez une assurance qui couvre la perte des bagages, le vol et les problèmes de santé. Bien que les soins d'urgence soient en général gratuits grâce au National Health Service, les spécialistes, les médicaments et le rapatriement coûtent cher.

6 Permis de conduire

Si vous êtes un citoyen de l'U.E. et que vous voulez conduire au Royaume-Uni, n'oubliez pas vos permis de conduire, carte grise et attestation d'assurance. Prévenez votre compagnie d'assurance de votre voyage. Les autres ressortissants étrangers doivent posséder un permis international.

7 Décalage horaire

N'oubliez pas de régler votre montre sur l'heure de Greenwich, qui est en retard de 1h sur celle de l'Europe continentale. De mars à septembre, les horloges, sont avancées de 1h pour se régler sur l'heure d'été.

8 Appareils électriques

Dans tout le Royaume-Uni, la tension est de 240 volts. Les fiches comportent 3 broches de section carrée : achetez un adaptateur avant de partir.

9 Enfants

Évitez les transports en commun aux heures de pointe (p. 169). Réservez à l'avance vos billets et veillez à emporter une poussette.

10 Cartes de membre

Vos cartes de membre d'organisations relatives à la conduite ou au patrimoine, en lien avec le Royaume-Uni, comme AA ou le National Trust, permettent des réductions, tout comme la carte d'étudiant ISIC *(p. 171).*

Ambassades

Ambassade de France
58 Knightsbridge SW1X 7JT • Plan C4
• 020 7201 1000
• www.ambafrance.org.uk

Ambassade de Belgique
103 Eaton Square SW1
• Plan D5
• 020 7235 5422

Ambassade de Suisse
16-18 Montague Place, W1 • Plan D5
• 020 7616 6000

Gauche **Train Eurostar** Droite **Aéroport d'Heathrow**

TOP10 Arriver à Londres

1 Aéroport d'Heathrow

L'aéroport principal de Londres est situé à 24 km à l'ouest de la capitale. L'Heathrow Express est le moyen le plus rapide d'atteindre le centre ville. Le service est assuré tous les jours de 5h à 23h30. Le trajet en taxi, très coûteux, prend environ 1h, en fonction de la circulation. Le métro (ligne de Piccadilly) ou l'Airbus (navette) sont plus économiques. ✆ *Heathrow information : 0870 000 0123*

2 Aéroport de Gatwick

Le 2e aéroport de Londres se trouve à 50 km au sud du centre ville, à la limite du Surrey et du Sussex. Le Gatwick Express part toutes les 15 min pour Victoria Station, où il se rend en 30 min. Il offre des correspondances avec les trains City Thameslink qui vont jusqu'au London Bridge. L'Airbus (navette), un peu moins cher, met 1h de plus, mais vous permet d'obtenir un ticket de retour à prix réduit. ✆ *Gatwick information : 0870 0002 468*

3 Aéroport de Stansted

Cet aéroport en pleine expansion est situé à 56 km au nord-est de Londres. De là, le Stansted Express part toutes les 30 min pour Liverpool Street Station, qu'il atteint en 45 min. Le service d'Airbus (navette) jusqu'à Victoria Station prend environ 90 min. ✆ *Stansted information : 0870 000 0303*

4 Aéroport de Luton

Un bus transporte les passagers jusqu'à Luton Station, d'où des trains Thameslink les transportent jusqu'à King's Cross et la City en environ 35 min. Des autocars Green Line assurent un service jusqu'à Victoria Station en 90 min. ✆ *Luton information : 01582 405 100*

5 Aéroport de London City

Situé sur les Docklands, à 14 km du centre ville, cet aéroport relativement nouveau est desservi par une navette qui part de Liverpool Street Station. Un taxi met environ 35 min pour transporter les passagers au centre ville. ✆ *London City information : 020 7646 0000*

6 Autres aéroports

Les autres grands aéroports d'Angleterre sont Birmingham, Liverpool, Manchester, Newcastle et East Midlands. Tous sont reliés à Londres par cars, bus ou trains.

7 Victoria Coach Station

Des cars nationaux et internationaux desservent cette gare routière qui se trouve à 10 min de marche de Victoria Station. ✆ *Victoria Coach Station, 164 Buckingham Palace Rd SW1 • Plan D5 • Réservations : 020 7730 3499*

8 London Waterloo International

C'est le terminus du service de train qui emprunte le tunnel sous la Manche, géré par Eurostar depuis 1995. ✆ *London Waterloo International SE1 • Plan N5 • Eurostar : renseignements et réservations 08 36 35 35 39*

9 Traversée de la Manche

Eurotunnel fournit un service aller-retour régulier entre Calais et Folkestone (35 min). Les ferries de Calais à Douvres traversent la manche en 90 min. Le trajet jusqu'à Londres par l'autoroute prend environ 1h30, en fonction de la circulation.

10 Autres services maritimes

Des services de ferries relient le nord de la France à d'autres ports du sud de l'Angleterre et le nord de l'Espagne (Bilbao et Santander) à Portsmouth ou Plymouth. L'aéroglisseur propose un trajet régulier rapide, en catamaran, de Dieppe à Newhaven (l'été seulement). Des lignes de ferries desservent d'autres ports anglais, à partir des Pays-Bas, de la Scandinavie et de l'Irlande.

Gauche **Taxis** Centre **Arrêt de bus** Droite **Passage piéton**

🔟 Circuler à Londres

1 Métro
Il offre le moyen de circulation le plus rapide, mais les wagons sont bondés aux heures de pointe. Le service est assuré de 5h30 à minuit et le tarif varie selon 6 zones concentriques. La zone 1 dessert le centre de Londres. ✆ *Transports londoniens : 020 7222 1234 • www.londontrans port.co.uk*

2 Bus londoniens
Moins rapides que le métro, mais plus économiques, les bus constituent un bon moyen de visiter la ville tout en circulant. Pour parcourir Londres entre minuit et 6h du matin, il vous faut emprunter l'un des bus de nuit qui partent tous de la National Gallery, sur Trafalgar Square.

3 Docklands Light Railway (DLR)
Le réseau automatisé (sans conducteur) desservant les Docklands offre des correspondances avec le métro à Bank, Tower Gateway (près de Tower Hill) et quelques autres stations. L'une de ses lignes s'étend vers le sud, en passant sous le fleuve, jusqu'à Greenwich et Lewisham.

4 Cartes de transport
Les Travelcards pour une journée ou un week-end sont avantageuses si vous empruntez les transports en commun plus de 2 fois par jour. Elles s'achètent dans les stations de métro, ainsi que chez de nombreux marchands de journaux ou épiciers. Valables dans le métro, bus et le DLR en semaine, elles ne sont utilisables qu'à partir de 9h30 les jours de semaine. Des cartes hebdomadaires ou mensuelles sont également disponibles, mais il vous faut fournir une photo d'identité.

5 Train
La banlieue et les autres villes du pays sont desservies par un réseau ferroviaire partant des 10 principales gares de Londres. Pour de longs trajets, réservez à l'avance pour faire des économies. ✆ *Renseignements National Rail : 08457 484950*

6 Taxis
Les taxis noirs peuvent être hélés n'importe où lorsque leur lumière jaune est allumée. On les trouve aussi à la sortie des gares, des aéroports ou aux stations de taxis. Il est de coutume de prévoir un pourboire de 10 %. Vous pouvez réserver un taxi noir en appelant Radio Taxis ou Dial-a-Cab. ✆ *Dial-a-Cab : 020 7253 5000 • Radio Taxis : 020 7272 0272*

7 Minicabs
Ils se réservent par téléphone ou auprès de leurs bureaux. Évitez de vous laisser aborder par des chauffeurs dans Soho : il arrive qu'ils connaissent mal la ville ou qu'ils ne soient pas assurés. Les « Lady Cabs » ne sont conduits que par des femmes. ✆ *Lady Cabs : 020 7254 3501*

8 Location de voiture
La location de voiture revient cher au Royaume-Uni. Les tarifs des grandes compagnies se valent. Europcar et Thrifty se montrent parfois un peu plus abordables. ✆ *Europcar : 0870 607 5005 • Thrifty : 01494 751600*

9 Location de bicyclette
Les compagnies de location sont nombreuses. N'oubliez pas l'antivol car les vols sont fréquents. ✆ *Bikepark : 020 7430 0083 • On Your Bike : 020 7378 6669*

10 Londres à pied
Il est très agréable de parcourir Londres à pied. Le centre de la capitale n'étant pas très étendu, vous constaterez souvent que la distance séparant deux points paraît, en marchant, moins longue que le trajet en métro. En raison de la circulation à gauche au Royaume-Uni, faites attention à bien traverser aux feux tricolores.

Gauche **Logo du Britain Visitor** Centre Droite **Intérieur du Britain Visitor Centre**

🔟 Où s'informer

1 London Tourist Board

Il offre toute une gamme de services aux visiteurs de la capitale, dont un système de réservation très efficace pour l'hébergement.
⊗ *London Tourist Board Information Line : 0906 866 3344* • *www.london town.com*

2 Centres d'information touristique

Ils vous fournissent des informations complètes sur tout. Situés à l'aéroport d'Heathrow, aux gares de Victoria, Euston, King's Cross, Liverpool Street et aux stations de métro Oxford Circus, Piccadilly et St James's Park, ils distribuent des dépliants gratuits sur les événements culturels et les distractions en cours.

3 Hébergement

Le London Tourist Board effectue des réservations gratuites plus de 6 semaines à l'avance. Vous pouvez réserver par téléphone en réglant par carte de paiement aux bureaux situés aux gares Victoria et Liverpool Street, ainsi qu'à l'aéroport d'Heathrow. Consultez *www.Top10London.dk. com* pour obtenir des liens relatifs à l'hébergement.
⊗ *London Tourist Board : 020 7932 2020* • *book@ londontouristboard.co.uk*

4 Restaurant Services

Cette organisation vous trouvera un restaurant et réservera votre table si vous le lui demandez par téléphone, fax ou e-mail. Son fichier très complet saura répondre à vos requêtes. Service gratuit.⊗ *020 8888 8080* • *www.restraguide.co.uk*

5 Télévision

Outre la télévision par câble et par satellite, il existe 5 chaînes au Royaume-Uni : 2 chaînes publiques émises par la BBC (BBC1 et BBC2) et 3 chaînes privées (ITV, Channel 4 et Channel 5). Ceefax et Teletext sont des programmes de textes donnant des informations touristiques et des bulletins météorologiques.

6 Radio

Les stations de radio londoniennes diffusent régulièrement des informations générales et touristiques. Citons BBC London Live (94.9FM), Capital FM (95.8FM), News Direct (97.3FM) et LBC (1152 MW).

7 Publications

Pour connaître les manifestations en cours, achetez un quotidien comme l'*Evening Standard* ou un hrbdomadaire de programmes comme *Time Out*. Le jeudi, le *Standard* offre un supplément gratuit de programme *(Hot Tickets)* pour la semaine à venir. Consultez le site du journal *www.thisis london.co.uk*. Le Tourist Board publie 2 brochures intéressantes : *Where To Stay* (où séjourner) et *What To Do* (que faire).

8 Météorologie

Vous pouvez appeler Weathercall pour les toutes dernières informations météorologiques. La radio et la télévision diffusent régulièrement des bulletins pour la capitale et les autres régions. ⊗ *Weathercall : 0906 850 0401*

9 Britain Visitor Centre

Vous y trouverez une foule d'informations sur Londres et le reste du pays. Outre le Visitor Centre de Regent's Street, un site Internet fournit des renseignements similaires. ⊗ *1 Regent Street W1* • *Plan J2* • *www.visitbritain.com*

10 London Lesbian and Gay Switchboard

Cette ligne d'information pour gays et lesbiennes fournit des informations 24h sur 24, un soutien et une liste d'adresses spécialisées. Les visiteurs trouvent aussi des adresses de pubs, bars et clubs. ⊗ *020 7837 7324* • *www.llgs.org.uk*

Gauche **Bus surbaissé** Droite **Rampe d'accès pour fauteuils roulants**

№10 Pour les handicapés

Mode d'emploi

1 Hébergement

Nombre des grands hôtels modernes possèdent un accès pour les handicapés. Mieux vaut vérifier avant le départ. RADAR (Royal Association for Disability and Rehabilitation), grande association en faveur des handicapés, publie un guide annuel, *Holidays in Britain and Ireland,* qui donne une liste des hébergements adaptés.
✆ *RADAR : 020 7250 3222*
• *www.radar.org.uk*

2 Transports publics

Il est difficile aux handicapés de prendre le métro. Les bus sont à peine plus commodes. *Access to the Underground* (Accès au métro), guide fourni par l'Access and Mobility Service, est en vente au Travel Information Centre de l'aéroport d'Heathrow, ainsi que dans les principales gares ou stations de métro du centre et de la banlieue. Citons également *London for All* (Londres pour tous), publié par le London Tourist Board.
✆ *Access & Mobility : 020 7941 4600* • *www.transportforlondon.gov.uk*

3 Musées

La plupart des musées et des galeries de Londres possèdent des rampes pour fauteuils roulants et des toilettes pour handicapés.

4 Théâtre et cinéma

En 2004, tous les théâtres et cinémas de Londres seront équipés d'accès pour handicapés. En attendant, téléphonez pour savoir quels types de places sont proposés, variables selon les salles. Pour plus d'informations sur l'accessibilité des lieux culturels, appelez Artsline. ✆ *Artsline : 020 7388 2227* • *www. artsline.org.uk*

5 Restaurants

Certains restaurants sont plus accessibles que d'autres, même s'il existe un accès adapté, car la salle peut se trouver au 1er étage, voire au sous-sol. Renseignez-vous au moment de la réservation.

6 Visites guidées

« Can Be Done », association située à Kensington (W8), se consacre aux vacances et aux visites guidées pour handicapés. Les autobus de tourisme à impériale constituent un moyen relativement commode de voir les sites de Londres sans avoir à marcher trop longtemps *(p. 168).* Toutefois, l'accès en est malaisé pour les personnes en fauteuil roulant. Le circuit, qui dure 90 min, peut être pris en route à plusieurs endroits *(p. 168).* ✆ *Can Be Done : 020 8907 2400* • *www.canbedone.co.uk*

7 Étudiants

SKILL, bureau national pour les étudiants handicapés, offre des informations et une aide limitées, à l'instar du UKCOSA. ✆ *SKILL : 0800 328 5050. www.skill. org.uk* • *UKCOSA : 020 7226 3762*

8 Malentendants

Beaucoup de théâtres fournissent un interprète du langage des signes lors de certaines représentations, voire de toutes. Adressez-vous au Royal National Institute for the Deaf (RNID) pour tout renseignement. ✆ *RNID : 0808 808 0123*
• *www.rnid.org.uk*

9 Malvoyants

Le Royal National Institute for the Blind (RNIB) Recreation and Lifestyle Service peut vous fournir des informations utiles. Des plans en braille des réseaux de transport londoniens sont disponibles au bureau du Transport for London's Access and Mobility. ✆ *RNIB : 0845 766 9999. www.rnib.org.com* • *Transport for London : 020 7222 1234. www.londontransport.co.uk*

10 Publications

La Greater London Action on Disability (GLAD) produit 2 publications, l'une bimensuelle, l'autre mensuelle. ✆ *GLAD : 020 7346 5800.*

Gauche **Banque** Droite **Boîte aux lettres**

Banques et communications

1 Argent
La livre sterling (£), qui vaut 100 pence (p), existe sous forme de billets de £5, £10, £20 et £50 et de pièces de £1 et £2 (or jaune). La pièce de 1 penny et celle de 2 pence (cuivre) sont suivies des pièces de 5p, 10p, 20p et 50p (argent).

2 Banques
Les banques sont, en général, ouvertes de 9h30 à 16h30 du lundi au vendredi. La plupart d'entre elles, à l'instar des sociétés de crédit immobilier, ont des distributeurs automatiques.

3 Bureaux de change
Les bureaux de change sont réglementés et leur taux est affiché avec le montant de la commission, parfois forfaitaire ou calculée selon un pourcentage. Nombre de bureaux ne demandent aucune commission, mais vérifiez le taux pratiqué car ils sont parfois moins avantageux que leurs confrères. Thomas Cook (qui fait partie de la banque HSBC) est le bureau le plus important de Londres.

4 Cartes de paiement
La plupart des établissements prennent les principales cartes de crédit telles que Visa et MasterCard (Access). Les cartes American Express et Diners Club sont moins largement acceptées au Royaume-Uni.

5 Poste
Les bureaux de poste, répartis dans toute la ville, sont généralement ouverts de 9h à 15h30, du lundi au vendredi, et jusqu'à 12h30 le samedi. Vous pouvez trouver des timbres dans les hôtels et dans certains magasins ou autres points de vente. La poste principale du West End, qui se trouve près de Trafalgar Square, assure un service de poste restante et conserve le courrier un mois et American Express fournit à ses clients un service similaire. ◆ *Bureau de poste : 24–28 William IV Street WC2. Plan M3 • American Express : 30–31 Haymarket SW1. Plan L4 • Royal Mail Customer Help Line : 0845 774 0740. www.royal mail.co.uk*

6 Téléphone
La plupart des cabines téléphoniques acceptent les pièces (minimum 20 p), les cartes téléphoniques et les cartes de crédit. Pour un appel international, il vous faut au moins un crédit de £2. Si vous n'arrivez pas à obtenir un numéro, appelez un opérateur local (100) ou international (155). Urgence : 999 ou 112.

7 Indicatifs téléphoniques
L'indicatif téléphonique de Londres est 020, que vous ne composez pas lorsque vous vous trouvez dans la ville. Lorsque vous appelez de l'étranger, le zéro initial doit être omis (20). Si vous téléphonez à l'étranger depuis Londres, composez le 00, suivi de l'indicatif du pays. Renseignements téléphoniques nationaux et internationaux *(ci-dessous)*. ◆ *Directory Enquiries : 192 • International Directory Enquiries : 153*

8 Fax et photocopie
Outre de nombreux bureaux de fax et de photocopie, la plupart des grands hôtels proposent ces services.

9 Téléphones mobiles
Londres est submergé de téléphones mobiles. Vérifiez avant de partir que le vôtre peut fonctionner au Royaume-Uni, qui utilise un système GSM 900 ou 1800.

10 Internet
Londres regorge de cybercafés dont les tarifs varient, de la gratuité à £5 l'heure. La chaîne de « boutiques Internet » EasyEverything possède 5 antennes au centre de Londres, dont une sur le Strand au niveau de Trafalgar Square. ◆ *EasyEverything : 456–59 Strand WC2 • Plan M4*

Gauche **Hôtel de police de Bow Street, Covent Garden** Centre **Police montée** Droite **Pharmacie Boots**

TOP10 Sécurité et santé

1 Urgences
Si vous devez appeler en urgence la police, les pompiers ou une ambulance, composez le 999 – l'opérateur vous orientera. Ce numéro est gratuit sur n'importe quel téléphone public.

2 Protection personnelle
Londres, comme la plupart des métropoles, comporte son lot de voleurs à l'arraché et de pickpockets. Les agressions augmentent depuis quelques années : faites preuve de vigilance. Surveillez bien vos effets personnels et dissimulez les objets précieux. Dans les pubs ou autres lieux publics, tenez votre sac à main. Évitez les rues reculées et mal éclairées, la nuit, ou lorsque vous êtes seul.

3 Vols
Faites assurer vos biens avant le départ et laissez vos passeports, billets et chèques de voyage dans le coffre de l'hôtel. Déclarez tous les vols à la police, en particulier si vous désirez vous faire rembourser par votre compagnie d'assurance. Adressez-vous aux policiers présents dans des endroits tels que Leicester Square et Oxford Street ou rendez-vous dans les hôtels de police. *West End Central Police : 27 Savile Row W1 • Plan J3 • 020 7437 1212*

4 Objets trouvés
Tout ce qui est trouvé dans le bus ou le métro est envoyé au bureau des objets trouvés (London Transport Lost Property Office). Vous devez vous y rendre en personne. Si vous perdez un objet dans un taxi, appelez le Black Cab Lost Property Office. *LT Lost Property : 200 Baker Street W1. Plan C3 Ouv. lun.-ven. 9h30-14h • Black Cab Lost Property : 020 7918 2000*

5 Hôpitaux
Il existe un certain nombre d'hôpitaux au centre de Londres, dotés d'un service d'urgence 24h sur 24, et incluant des établissements de soins dentaires. Les soins d'urgence dus à un accident peuvent parfois être gratuits pour les touristes *(p. 160)*.

6 Pharmacies
Les pharmacies *(chemists)* sont ouvertes aux mêmes heures que les magasins, parfois plus tard. Boots a des succursales dans toute la ville. *Boots, 75 Queensway W2. Plan B3. Ouv. t.l.j. 10h-22h • Bliss Chemist, 5-6 Marble Arch W1. Plan C3 • Ouv. t.l.j. 10h-minuit*

7 Dentistes
Les hôtels peuvent vous indiquer des adresses de dentistes. Pour des soins d'urgence gratuits, rendez-vous au Guy's Hospital Dental Department.

8 Ambassades et consulats
Les ambassades et consulats des pays francophones sont situés autour du centre de Londres. Ces organismes peuvent vous aider si vous perdez votre passeport, s'il vous faut un visa ou une assistance juridique *(p. 160)*.

9 Femmes seules
Prenez quelques précautions : évitez les rues désertes la nuit, ne voyagez pas dans les wagons de train ou de métro vides et ne prenez que des *black cabs* (taxis noirs, *p. 168*).

10 MST
St Mary's Hospital, à Paddington, et St Thomas's Hospital, à Westminster, ont un service spécialisé.

Hôpitaux de Londres

St Mary's
Praed Street W2 • Plan B3 • 020 7886 6666

St Thomas's
Lambeth Palace Road SE1 • Plan N6 • 020 7928 9292

University College
Gower Street WC1 • Plan E2 • 020 7387 9300

Guy's Hospital Dental Department
St Thomas Street SE1 • Plan G4 • 020 7955 4317

Gauche **Promenade en punt sur la Cam, Cambridge** Droite **Palace Pier, plage de Brighton**

🔟 Excursions autour de Londres

1 Windsor Castle
Ses appartements d'apparat, ainsi que la St George's Chapel, remontant au XVᵉ s. sont grandioses. Lorsque la reine y réside, certaines parties du château sont fermées au public. ◑ *Windsor, Berkshire • 01753 831 118 • Train 40 min • Ouv. mars-oct. 9h45-17h15, nov.-fév. 9h45-16h15 • EP*

2 Oxford
The Oxford Story, sur Broad Street, vous offre une courte présentation de la plus ancienne ville universitaire de Grande-Bretagne, ornée de collèges, de musées et de galeries. Citons 3 collèges particulièrement somptueux : Christ Church, Magdalen et Merton. ◑ *Train 1h • Tourist Information : 01865 726 871 • www.visitoxford.org*

3 Cambridge
Ne manquez pas ces 3 collèges : King's, Queen's et Peterhouse, le plus ancien (1284). Détendez-vous sur un *punt* (barque à fond plat) au fil de la Cam, qui coule à travers les prés (les *Backs*) entre les bâtiments. ◑ *Train : 45 min • Tourist Information : 01223 322 640 • www.tourism cambridge.com*

4 Brighton
« Londres-sur-mer » est le surnom de cette ville cosmopolite, station balnéaire élégante lancée par le prince régent à la fin du XVIIIᵉ s. et au début du XIXᵉ, lorsqu'il s'installa dans l'extravagant Pavillon royal. Flânez dans les magasins d'antiquités, dégustez des *fish-and-chips* sur la jetée et admirez la plage. ◑ *Train : 1h • Informations touristiques : 0906 711 2255 • www.visitbrighton.com*

5 Stratford-upon-Avon
La ville natale de Shakespeare (1564) figure avec éclat sur la carte touristique des environs de Londres. Elle s'orne de plusieurs édifices associés au grand dramaturge et du Royal Shakespeare Theatre, où vous pouvez tenter d'assister à une représentation. ◑ *Train : 2h • Information : 01789 293 127 • www.shakes pearecountry.co.uk*

6 Canterbury
En l'an 597, cette agréable ville marchande, située au sud-est de Londres, devint le siège du primat, l'archevêque de Canterbury. La somptueuse cathédrale abrite la tombe de St Thomas Becket. ◑ *Train : 1h30 • Information : 01227 766 567 • www.canterbury. com*

7 Chessington World of Adventures
Ce vaste parc de loisirs, qui fut à l'origine un zoo, occupe les enfants toute une journée. Achetez vos billets à l'avance, ils seront moins chers. ◑ *Chessington, Surrey • Train 30 min • 0870 444 7777 • Ouv. mars-oct. t.l.j. 10h-17h • EP*

8 Thorpe Park
Le plus haut circuit aquatique d'Europe n'est que l'une des attractions de ce parc à thème. Sortie familiale des plus appréciées. ◑ *Chertsey, Surrey • Train jusqu'à Staines 30 min • Ouv. avr.-oct. t.l.j. 10h-17h (plus tard lors des vacances scolaires) • EP*

9 Woburn Abbey
Résidence des ducs de Bedford, ce château du XVIIIᵉ s., l'un des plus beaux d'Angleterre, abrite une belle collection de peintures et de porcelaines. Il jouxte le Safari Park, qui représente une attraction supplémentaire. ◑ *Woburn, Bedfordshire • Train jusqu'à Flitwick 1h, puis taxi • 01525 290 666 • Ouv. mars.-oct t.l.j. • EP*

10 Leeds Castle
Ce château du Kent, le plus romantique d'Angleterre, qui se dresse sur deux îles, surplombe un lac entouré d'un parc de 200 ha. Il abrite une collection de meubles médiévaux. ◑ *Maidstone, Kent • Train jusqu'à Bearstead 1h30, puis correspondance de bus • Ouv. avr.-oct. t.l.j. 10h-17h, nov.-fév. t.l.j. 10h-15h • EP*

Gauche **Visite de la ville à pied** Droite **Impériale d'un autobus touristique**

TOP 10 Circuits et visites guidées

1 Circuits en bus

Les bus de tourisme à impériale sont un excellent moyen de découvrir Londres. Il existe plusieurs compagnies proposant un certain nombre de circuits qui prennent ou déposent les visiteurs à divers endroits de la ville. Vous montez et descendez du bus à volonté. Certains programmes incluent une promenade en bateau entre Westminster et Tower Pier. ✆ *The Original Tour : 020 8877 1722 • Big Bus Company : 020 7233 9533*

2 Croisières

Il existe des croisières organisées par différentes compagnies. Les billets n'étant pas échangeables, achetez-les à l'embarcadère afin de savoir exactement ce qui vous est proposé. Westminster et Charing Cross sont les principaux quais d'embarquement du centre-ville. Les bateaux circulent vers l'amont, jusqu'à Hampton Court, et vers l'aval, jusqu'à Tower Bridge et Greenwich. ✆ *Charing Cross Pier : Plan M4 • Westminster Pier : Plan M6*

3 Regent's Canal

Charmant canal pour croisières paisibles entre Camden Lock et Little Venice. Vous pouvez prendre le bateau à l'une ou l'autre extrémité. ✆ *London Waterbus Co : Warwick Crescent W2 • Plan B2 • 020 7482 2550*

4 Promenades à thème

Les promenades guidées proposées par des compagnies ou des personnes individuelles sont innombrables. The Original London Walk, organisme expérimenté, concocte des visites de 2 h. ✆ *020 7624 3978 • www.walks.com*

5 Circuits individuels

La « Great London Treasure Hunt » (Grande Chasse au Trésor de Londres) consiste en une série d'itinéraires pouvant être effectués à votre convenance. Une succession d'indices et de questions vous conduit jusqu'aux sites historiques. Le « Trésor » n'est autre que la découverte. ✆ *www.walkingtoursinlondon.com*

6 En coulisse

La plupart des théâtres anciens proposent une visite des coulisses pendant la journée. La visite de l'Olivier, du Cottesloe et du Lyttleton vous fait pénétrer aussi dans les loges et dans les ateliers. Réservez par téléphone (p. 56). ✆ *National Theatre : 020 7452 3400*

7 Portes ouvertes

Durant un week-end de la fin septembre, près de 550 édifices de Londres, des immeubles aux demeures individuelles, ouvrent leurs portes au public, révélant ainsi quelques joyaux architecturaux. Cette opération est organisée par le London Open House, œuvre de bienfaisance. Visitez son site Internet pour vous mettre en appétit. ✆ *020 7267 7644 • www.london openhouse.org • EG*

8 Visites aériennes

Plusieurs compagnies proposent des survols de la ville en hélicoptère. Cabair vous promène pendant 30 min en suivant le cours de la Tamise. Le décollage s'effectue de l'aérodrome d'Elstree, au nord de Londres. ✆ *Cabair : Borehamwood, Hertfordshire • Train jusqu'à Radlett, puis taxi • 020 8953 4411*

9 Péniches

Les péniches qui remplissaient jadis le port de Londres peuvent être admirées à St Katherine's Dock (p. 71). Il est possible d'en louer auprès de Topsail Charters. Le Tower Bridge se soulève pour les laisser passer. ✆ *Topsail Charters : 01621 857567 • www.topsail. co.uk*

10 Les environs

Plusieurs compagnies organisent des excursions en autocar jusqu'à des sites célèbres se trouvant à 1 ou 2 h de Londres. Certaines sorties s'effectuent autour d'un thème.

Dans la gare de Liverpool Street

10 Éviter la foule

1 Heures d'affluence

Évitez autant que possible, du lundi au vendredi, de vous déplacer entre 8h et 9h30, et entre 17h et 18h30 : les métros et les bus sont bondés et les taxis introuvables. Il est souvent beaucoup plus agréable et plus rapide d'effectuer un trajet à pied.

2 Heure du déjeuner

Les Londoniens déjeunant le plus souvent entre 13h et 14h, les cafés et fast-foods se remplissent et d'immenses queues se forment devant les bars à sandwichs. Ce peut être le moment d'essayer l'un de ces restaurants plus chic, qui essaient d'attirer la clientèle offrant des menus à prix intéressants.

3 Dîner en ville

Les restaurants du West End et de la South Bank sont généralement remplis avant et après les représentations de théâtre par les spectateurs profitant des menus économiques qui leur sont spécialement destinés.

4 Visites matinales

La plupart des sites de la capitale, en particulier les plus célèbres, comme la Tower of London ou Madame Tussaud's, sont moins bondés à l'ouverture. Mais il vous faut alors affronter les heures de pointe.

5 Vacances scolaires

Au cours des vacances scolaires, les musées et autres sites de Londres sont remplis de familles et de groupes d'enfants. En général, les vacances d'été durent 6 semaines, de fin juillet à début septembre, et elles sont de 2 à 3 semaines à Noël et à Pâques. Il en est de même lors des congés de demi-trimestre, à la fin des mois de février, mai et octobre.

6 Matinées

Les places pour les spectacles et les événements culturels les plus populaires de Londres sont réservées longtemps à l'avance, mais il en reste parfois pour les matinées du milieu de semaine et du dimanche.

7 Réservations

Pour les expositions importantes, des visites échelonnées sont organisées grâce à des réservations précisant l'heure d'entrée, afin d'éviter la bousculade. Essayez de réserver assez longtemps à l'avance.

8 Nocturnes

Les magasins et les galeries proposent souvent des nocturnes, attirant une foule moins nombreuse que dans la journée. Les boutiques d'Oxford Street, par exemple, ferment tard le jeudi soir. La Royal Academy (p. 113) fait de même pour les grandes expositions. Le Victoria and Albert Museum (p. 119) reste ouvert jusqu'à 22h le mercredi et le dernier vendredi du mois. C'est également l'heure à laquelle la Tate Modern (p. 18-19) ferme ses portes le vendredi et le samedi.

9 Week-ends

Certains quartiers, comme la City, sont désertés. C'est le moment idéal pour se promener dans la ville et visiter les sites en évitant foule et embouteillages.

10 Jours fériés

Londres devient moins frénétique les jours fériés, car nombre de ses habitants partent alors en week-end prolongé. Outre Noël et le Nouvel An, les principaux jours fériés du Royaume-Uni sont : Pâques, le 1er mai, la Pentecôte et la fin août. À ces occasions, quelques sites ferment totalement leurs portes. Certains musées et galeries se contentent de réduire leurs heures d'ouverture, sauf à Noël et au Boxing Day (26 déc.), dates auxquelles ils restent fermés. Les magasins et supermarchés sont de plus en plus souvent ouverts les jours fériés.

Gauche **Antiquaire, Camden Passage** Centre **Harrods** Droite **Marché central de Covent Garden**

TOP 10 Comment acheter

1 Quartiers commerçants

Covent Garden propose vêtements, chaussures, bijoux et cadeaux dernier cri, tandis qu'Oxford Street abrite grands magasins et boutiques de prêt-à-porter ou de musique. C'est à Bond Street et Knightsbridge que vous trouverez les marques et les produits les plus chers. Pour découvrir les meilleurs antiquaires et marchands de tableaux, rendez-vous à Mayfair et St James's.

2 Heures d'ouverture

Les magasins sont en général ouverts de 9h30 à 18h du lundi au samedi, avec nocturnes jusqu'à 20h le jeudi dans le West End, et le mercredi à Kensington et Chelsea. Le dimanche, les commerces restent fermés.

3 Paiement

Nombre de magasins acceptent les principales cartes de paiement et les chèques, sous certaines conditions. La TVA, qui s'élève à 17,5 %, est presque toujours incluse dans le prix affiché. Les magasins duty-free ont une enseigne particulière, et fournissent aux non-résidents de l'U.E. un formulaire à valider par la douane lorsqu'ils quittent le pays, leur permettant de se faire rembourser la T.V.A.

4 Articles défectueux

Même si les magasins sont tenus de vendre des articles sans défauts ni dommages, gardez toujours vos tickets d'achat.

5 Soldes

Dans les grands magasins ainsi que dans nombre de boutiques de mode, qui pratiquent des soldes de fin de saison, en janvier et en juillet.

6 Mode

Les boutiques de grandes marques se répartissent dans Bond Street, Knightsbridge et Sloane Street. Oxford Street propose des vêtements de mode à prix moyen. Pour le prêt-à-porter économique, essayez les marchés : Camden *(p. 141)*, Portobello *(p. 120)*, Petticoat Lane et Spitalfields *(p. 154)*.

7 Musique

HMV, Virgin et Tower Records offrent un choix immense de CD et de DVD, dont un grand nombre sont des produits d'importation. Beaucoup de boutiques spécialisées, d'occasion ou destinées aux collectionneurs, proposent des disques vinyles, toujours populaires. Les grandes salles d'opéra et de concert distribuent aussi des produits musicaux. Pour le matériel hi-fi, rendez-vous à Tottenham Court Road.

8 Cadeaux et souvenirs

Covent Garden est l'endroit où acheter des cadeaux, tout comme les grands magasins tels que Selfridges, John Lewis, Liberty, Harvey Nichols et Harrods *(p. 64-65)* possédant des rayons spécialisés. Les grands musées, galeries et sites touristiques abritent des boutiques intéressantes de souvenirs.

9 Art et antiquités

Les grands marchands de tableaux sont situés dans le West End, autour de Bond Street et Cork Street *(p. 116)*. Les hôtels des ventes Bonhams et Sotheby's *(p. 114)* s'y dressent également. Pour les antiquités, rendez-vous à Camden Passage (Islington), Portobello Road, Kensington Church Street et King's Road (Chelsea).

10 Banlieue

Il existe 3 immenses centres commerciaux hors de la capitale : Brent Cross, autoproclamé le « West End du nord de Londres » ; le Lakeside Shopping Centre, situé à Grays, dans l'Essex ; et Bluewater, le plus vaste complexe marchand d'Europe, qui s'étend à Greenhithe, dans le Kent. Les magasins sont ouverts jusqu'à 20h. Les restaurants et lieux de distraction ferment encore plus tard.

Gauche **Covent Garden Piazza** Droite **St John's, Smith Square**

🔟 Londres bon marché

1 Se loger
Il existe un certain nombre d'auberges de jeunesse à Londres et les universités proposent un hébergement de juin à septembre. L'International Students House reçoit des résidents toute l'année. La capitale abrite un grand nombre de *Bed and Breakfast* peu coûteux (p. 179).

2 Circuler
Les autobus sont moins chers que le « tube » (métro). Si vous empruntez ce dernier plus de deux fois par jour, les TravelCards sont intéressantes. Elles vous donnent accès aux bus et au Docklands Light Railway (mais pas avant 9h30 les jours de semaine). Les carnets de 10 tickets pour la zone 1 se révèlent également avantageux (p. 162).

3 Se restaurer
Il est tout à fait possible de consommer un repas à deux plats avec une boisson et un café pour £20 dans nombre d'endroits. Les restaurants inabordables deviennent praticables si vous consommez des menus déjeuner ou avant-théâtre.

4 Musées et galeries
Certains musées sont gratuits, d'autres le deviennent en fin d'après-midi ou en début de soirée. Si vous voulez vous rendre plus de deux fois dans un lieu payant, prenez un abonnement. Profitez des conférences gratuites à l'heure du déjeuner. Une carte d'étudiant internationale (ISIC) offre des réductions.

5 Animations de rue
À Covent Garden, des distractions sont proposées tout au long de la journée. Le week-end, les peintres accrochent leurs œuvres aux grilles de Green Park, ou à celles de Hyde Park.

6 Musique gratuite
Églises et écoles de musique (en période scolaire) proposent des concerts gratuits à l'heure du déjeuner. La musique est également gratuite aux Royal Festival Hall, Royal National Theatre et National Gallery, ainsi que dans des sites tels que Hays Galleria et Canada Wharf.

7 Billets économiques
Rendez-vous au Half-Price Ticket Booth, au centre de Leicester Square, qui vend des billets pour le jour même. Les théâtres d'avant-garde sont beaucoup moins chers. Pour toutes les représentations du RSC (Barbican Centre), les gradins ne coûtent que £5. Le lundi, toutes les places sont à £5 au Royal Court Theatre. Le Royal Opera House propose des places debout à partir de £6. Sur Leicester Place, le cinéma Prince Charles est le moins cher du centre de Londres.

8 Mode
Adressez-vous aux dépôts-ventes de vêtements de marque (The Loft, 35 Monmouth St WC2, et L'Homme Designer Exchange, 50 Blandford St W1).

9 Marchés
Les marchés de Londres proposent aliments, vêtements, bijoux et antiquités à prix réduits (p. 64-65).

10 Parcs
Manifestations sportives dans Regent's Park, ou orchestres au kiosque à musique de St James's Park (p. 28-29).

Carnet d'adresses

London Hostel Assoc
54 Eccleston Square SW1 • 020 7834 1545

Youth Hostels Assoc
8 St Stephen's Hill, St Albans, Herts, AL1 2DY • 01727 855 215 • www. yha.org.uk

International Students House
229 Gt Portland St W1 • 020 7631 8300

London Bed and Breakfast Agency
71 Fellows Rd NW3 • 020 7586 2768 • www.londonbb.com

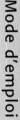

Gauche **Elizabeth Hotel** Droite **Bar du Brompton Hotel**

TOP 10 Hôtels à petits prix

1 Travel Inn Capital
Le meilleur des hôtels économiques de Londres est remarquablement situé, dans l'ancien County Hall près de la Tamise et du London Eye. Chacune des 313 chambres contient des lits pliants pour les enfants. Il est indispensable de réserver à l'avance. ⊗ *Belvedere Road SE1 • Plan N6 • 0870 238 3300 • www.travelinn. co.uk • £*

2 Columbia Hotel
Dans un cadre verdoyant surplombant Kensington Gardens, le Columbia est constitué de 5 anciens hôtels particuliers. Chambres plus somptueuses que le prix ne le laisserait imaginer. ⊗ *95–9 Lancaster Gate W2 • Plan B3 • 020 7402 0021 • www.columbia hotel.co.uk • ££*

3 Fielding Hotel
Situé à Covent Garden, cet hôtel unique abrite des chambres originales, aux formes étranges, dont les douches et lavabos sont installés dans des recoins. Tout Covent Garden s'offre à vous pour le petit-déjeuner. ⊗ *4 Broad Court, Bow St WC2 • Plan M2 • 020 7836 8305 • www.the-fielding-hotel.co.uk • ££*

4 Mabledon Court Hotel
Entre les stations de métro de St Pancras et de Euston, juste au coin de la jolie Woburn Walk, ce petit hôtel confortable offre dans toutes les chambres de quoi préparer soi-même son thé ou son café, ainsi qu'une agréable salle pour le petit-déjeuner. ⊗ *10–11 Mabledon Place WC1 • Plan E2 • 020 7388 3866 • www.smooth hound.co.uk/hotels • ££*

5 Lancaster Court Hotel
Entre la station de Paddington et Hyde Park, Sussex Gardens est une rue agréable et tranquille, bordée d'hôtels à petits prix. Le Lancaster Court ne se trouve qu'à quelques minutes de marche de Hyde Park. ⊗ *202–4 Sussex Gardens W2 • Plan B3 • 020 7402 8438 • www.lancaster-court-hotel.co.uk • ££*

6 Craven Gardens Hotel
Situé dans un quartier huppé et tranquille, cet hôtel privé abrite 43 chambres et deux suites. Outre un service 24h sur 24, il offre de quoi préparer thé ou café dans les chambres et contient un bar, mais pas de restaurant. Une bonne taverne grecque vous accueille à quelques pas. ⊗ *16 Leinster Terrace W2 • Plan B3 • 020 7262 3167 • craven@diecon.co.uk • ££*

7 Brompton Hotel
Situé tout près de la station de métro South Kensington, cet hôtel typique du West End abrite de confortables chambres attenantes. Au rez-de-chaussée, un bar américain indépendant est tenu par une New-Yorkaise qui sert de bons cocktails. ⊗ *30–2 Old Brompton Rd SW7 • Plan C5 • 020 7584 4517 • www. bromhotel.com • ££*

8 Gresham Hotel
Cet hôtel, abritant 40 chambres dans une rangée de maisons bourgeoises du XVIIIe s., près de Bedford Square, offre un choix de chambres simples ou doubles ou encore de suites pouvant loger 4 personnes. ⊗ *36 Bloomsbury Street WC1 • Plan L1 • 020 7580 4232 • www.greshamhotel london.com • ££*

9 Elizabeth Hotel
Ce bel hôtel particulier surplombe un square privé très paisible, que les clients peuvent utiliser. Proche de Victoria Station, il abrite des chambres simples ou familiales. ⊗ *37 Eccleston Square SW1 • Plan D5 • 020 7828 6812 • www. elizabeth-hotel.com • ££*

10 Kenwood House Hotel
Petit hôtel situé près de Baker Street, de Madame Tussaud's et de Regent's Park, il abrite 16 chambres, dont 5 familiales. ⊗ *14 Gloucester Place W1 • Plan C3 • 020 7935 3473 • www. hotelconnections.com • £*

Royal Garden Hotel

Catégories de prix

Prix par nuit pour	**£** moins de 70 £
une chambre double	**££** de 70 à 100 £
avec petit-déjeuner	**£££** de 100 à 150 £
(s'il est inclus), taxes	**££££** de 150 à 200 £
et service compris.	**£££££** plus de 200 £

🔟 Hôtels à prix moyens

1 Bedford Hotel
Parmi les cinq établissements intéressants de Bloomsbury gérés par Imperial London Hotels, le Bedford se distingue par un bon restaurant, un salon et un jardin. ◎ Southampton Row WC1 • Plan M1 • 020 7636 7822 • www.imperialhotels.co.uk • ££

2 St Giles Hotel
Situé au centre ville, près du carrefour de Tottenham Court Road et d'Oxford Street, cet hôtel moderne est un bon choix pour les fanatiques de fitness : ils utilisent gratuitement le centre de remise en forme et la piscine. ◎ Bedford Ave WC1 • Plan L1 • 020 7300 3000 • www.stgiles.com • ££

3 Thistle Trafalgar Square
Le Thistle Group possède 24 hôtels à Londres, la plupart très bien situés. Celui-ci jouxte pratiquement la National Gallery. ◎ Whitcomb St WC2 • Plan L4 • 020 7930 4477 • www.thistlehotels.com • ££££

4 Regent Palace Hotel
Très central, ce vaste hôtel plein de recoins, qui se dresse près de Piccadilly Circus, est particulièrement fréquenté lors des ponts et jours fériés. Abritant un grand bar de type irlandais, le Callagan's,

il ne comporte pas de restaurant. ◎ Piccadilly Circus W1 • Plan K3 • 020 7734 0716 • www.regentpalacehotel.co.uk • ££

5 Cranley Gardens Hotel
Réparti sur 4 hôtels particuliers victoriens de South Kensington, cet édifice, donnant sur une place tranquille (certaines chambres ont un balcon), est particulièrement convivial. ◎ 8 Cranley Gdns SW7 • Plan B6 • 020 7373 3232 • cranleygarden@aol.com • ££

6 Langham Court Hotel
Situé dans une rue tranquille à l'écart d'Oxford Circus, cet hôtel charmant est tout aussi avenant à l'intérieur qu'à l'extérieur. Outre des chambres meublées confortablement, il propose un excellent restaurant servant essentiellement de la cuisine française. ◎ 31–5 Langham St W1 • Plan J1 • 020 7436 6622 • www.grangehotels.com • ££££

7 Bryanston Court
Cet hôtel tenu par une famille, proche de Marble Arch, convient parfaitement à un séjour d'un jour ou deux, ponctué de visites touristiques. Ses marquises bleues lui confèrent une touche de désinvolture, démentie par son raffinement d'autrefois. ◎ 56–60 Great

Cumberland Pl W1 • Plan C3 • 020 7262 3141 • www.bryanstonotel.com • £££

8 Gainsborough Hotel
Cet hôtel est bien situé pour visiter les musées et les magasins de Knighsbridge. ◎ 7–11 Queensbury Place SW7 • Plan B5 • 020 7957 0000 • www.eeh.co.uk • £££

9 Royal Garden Hotel
Cet hôtel se glisse dans la catégorie moyenne en raison de ses tarifs intéressants le week-end. Agréablement spacieux et moderne, situé près de Kensington Gardens et de Kensington Palace, il abrite un centre de remise en forme, un centre d'affaires fonctionnant 24h sur 24 et 2 restaurants. ◎ 2 Kensington High Street W8 • Plan B4 • 020 7937 8000 • www.royalgardenhotel.co.uk • £££££

10 The White House
Cet établissement classique est un ancien immeuble de 1936. Rénové sous forme d'un hôtel confortable de 82 chambres très spacieuses, il abrite, en outre, un bar et un restaurant. Les prix peuvent augmenter de 100 %, en particulier au cœur de l'été et à Noël. ◎ Albany Street NW1 • Plan D2 • 020 7387 1200 • www.solmelia.com • ££££

Remarque : Sauf indication contraire, les hôtels acceptent les cartes de paiement et toutes les chambres disposent d'une salle de bains.

Gauche **Halkin** Centre **One Aldwych** Droite **St Martins Lane**

TOP 10 Hôtels de designers

1 The Sanderson
L'hôtel le plus « classe » de Londres est minimaliste et étonnamment cher. Les chambres se parent de plafonds décorés de peintures à l'huile et de rideaux ondoyants. Sauna et centre de remise en forme. Réductions spéciales à certaines périodes. ✪ *50 Berners Street W1 • Plan K1 • 020 7300 1400 • www.ianschra gerhotels.com • £££££*

2 One Aldwych
Cet ancienne banque de 1908, qui s'orne d'objets d'art dans le hall d'entrée et dans les couloirs, abrite 2 bons restaurants et une piscine de 18 m avec musique subaquatique. ✪ *Aldwych WC2 • Plan N2 • 020 7300 1000 • www. onealdwych.co.uk • £££££*

3 St Martin's Lane
Ce petit frère du Sanderson a été conçu par Philippe Starck. Les chambres s'ornent de fenêtres du sol au plafond, et même les salles de bains sont à moitié vitrées. ✪ *St Martin's Lane WC2 • Plan L3 • 020 7300 5500 • www.ianschrager hotels.com • £££££*

4 myhotel Bloomsbury
Tout près de Tottenham Court Road, cet hôtel possède un personnel attentif. Les chambres claires, où s'appliquent strictement les principes du feng sui, s'ornent d'orchidées, d'aquariums et de bougies décoratives. ✪ *11–13 Bayley Street WC1 • Plan L1 • 020 7667 6000 • www.myhotels. co.uk • £££££*

5 Charlotte Street Hotel
Cet hôtel, l'un des plus raffinés et confortables de Londres, offre fauteuils de cuir et meubles anciens cohabitant avec des œuvres d'art contemporaines. Un feu de bois brûle dans le salon et la bibliothèque. L'Oscar, bar-brasserie animé, attire les dîneurs de Charlotte Street. ✪ *15 Charlotte St W1 • Plan K1 • 020 7806 2000 • www.charlottestreet hotel.com • £££££*

6 Mercure City Bankside
Ouvert en 2000, près de la Tate Modern, cet hôtel de 7 étages a prévu télévisions et consoles de jeux payantes dans toutes les chambres. ✪ *75 Southwark Street SE1 • Plan R4 • 020 7902 0800 • www.mercure.com • £££*

7 Number Five Maddox Street
Ces appartements de haute qualité, de style japonais, équipés pour surfer sur Internet, ont prévu un chef cuisinier « de garde » pour vous concocter des plats à toute heure. Réfrigérateur avec glaces Ben and Jerry's. ✪ *5 Maddox Street W1 • Plan J3 • 020 7647 0200 • www.living-rooms.co.uk • £££££*

8 The Hempel
Cet hôtel s'orne d'un atrium central d'où rayonnent 5 niveaux différents. Chaque chambre a été conçue individuellement dans un style japonais minimal. Le restaurant mêle les saveurs nippone et thaïe. ✪ *31–5 Craven Hill Gardens W2 • Plan B3 • 020 7298 9000 • www.thehempel. co.uk • £££££*

9 Metropolitan
D'une élégance très contemporaine, cet hôtel fut l'un des premiers établissements modernes londoniens de grande classe. Personnel vêtu de noir, décor dépouillé et chambres de style oriental. Il abrite le Met Bar et le Nobu, restaurants japonais tous deux fréquentés par des célébrités *(p. 117)*. ✪ *Old Park Lane W1 • Plan D4 • 020 7447 1000 • www.metropolitan.co.uk • £££££*

10 Halkin
Hôtel magnifique sis dans une demeure du XVIIIe s., profondément remanié dans un style moderne à l'aide de marbre, de verre, de bois sombre et d'éléments orientaux. ✪ *5 Halkin Street SW1 • Plan D4 • 020 7333 1000 • www.halkin. co.uk • £££££*

➜ *Remarque : Sauf indication contraire, les hôtels acceptent les cartes de paiement et toutes les chambres disposent d'une salle de bains.*

Catégories de prix

Prix par nuit pour **£** moins de 70 £
une chambre double **££** de 70 à 100 £
avec petit-déjeuner **£££** de 100 à 150 £
(s'il est inclus), taxes **££££** de 150 à 200 £
et service compris. **£££££** plus de 200 £

Gauche **Marriott** Droite **Tower Thistle**

⑩ Hôtels d'affaires

1 Great Eastern

Cet ancien hôtel de gare, à l'époque seul établissement de la City, fut construit pour Liverpool Street Station, en 1884. Récemment rénové de façon remarquable, il propose l'Aurora, restaurant surmonté d'un magnifique dôme vitré. Les chambres disposent de bureaux ergonomiques et sont équipées de lignes ISDN (haut débit), de magnétoscopes et de lecteurs DVD. ✆ Liverpool Street EC2 • Plan H3 • 020 7618 5010 • www.great-eastern-hotel.co.uk • £££££

2 Jury's

Ce magnifique édifice néo-XVIIIe s. fut conçu par Edwin Lutyens pour la YWCA (Young Women Christian Association) en 1929. Le Queen Mary Hall est devenu un centre de conférences et l'ancienne chapelle s'est transformée en salle de réunion. Les chambres et les suites, destinées à une clientèle d'affaires, comportent des bureaux de travail, des modems et un voice-mail. ✆ 16–22 Gt Russell Street WC1 • Plan L1 • 020 7347 1000 • www.jurysdoyle.com • £££££

3 Four Seasons Hotel

Le Four Seasons, qui s'orne d'un atrium central, témoigne d'un bon aménagement de l'espace. L'équipement des chambres comble les hommes d'affaires. Cuisine du nord de l'Italie. ✆ 46 Westferry Circus E14 • DLR Westferry• 020 7510 1999 • www.four seasons.com • £££££

4 London Bridge Hotel

Du côté de la City, ce bel hôtel moderne indépendant est totalement équipé pour les hommes d'affaires. Son restaurant sert une cuisine française nouvelle. ✆ 8–18 London Bridge Street SE1 • Plan H4 • 020 7855 2200 • www.london-bridge-hotel.co.uk • ££££

5 Marble Arch Marriott

Cet hôtel moderne, situé à l'extrémité ouest d'Oxford Street, abrite un bar, un restaurant, un club de remise en forme et une piscine. Salle de réunion avec tout l'équipement nécessaire. ✆ 134 George Street W1 • Plan D3 • 020 7723 1277 • www.marriotthotels.com • £££££

6 Paddington Court Hotel

Dans un quartier tranquille de l'ouest londonien, cet hôtel comporte 157 chambres spacieuses, restaurant bon marché pour les clients et un bar-salon. ✆ 27 Devonshire Terrace W2 • Plan B3 • 020 7745 1200 • www.paddingtoncourt. com • £££

7 Sheraton Park Tower

Cet hôtel circulaire est un élément distinctif de Knightsbridge. Plus l'étage est haut, plus le panorama et les prix augmentent. Conçu pour les hommes d'affaires. ✆ 101 Knightsbridge SW1 • Plan C4 • 020 7235 8050 • www.sheraton.com • £££££

8 Tower Thistle

Nombre des 800 chambres de cet immeuble offrent des vues magnifiques sur le fleuve. ✆ St Katharine's Way E1 • Plan H4 • 020 7481 2575 • www.thistle hotels.com • £££££

9 Holiday Inn Express

Au sein de cette chaîne représentée par 10 établissements à Londres, cet hôtel ne se trouve pas exactement dans la City, mais sur Hoxton Square (p. 153), plus connu pour l'art que pour les affaires. ✆ 275 Old Street EC1 • Plan H2 • 0800 897 121 • www. hiexpress.co.uk • £££

10 City Hotel

Près de Whitechapel High Street, en bas de Brick Lane (p. 154). Parfait pour les hommes d'affaires désirant résider près de la City. ✆ 12 Osborne Street E1 • Métro Aldgate East • 020 7247 3313 • www.cityhotellondon.co.uk • £££

Gauche **Goring Hotel** Droite **Durrants Hotel**

TOP 10 Hôtels de caractère

1 Hazlitt's
Ancienne résidence de l'essayiste William Hazlitt (1778-1830), cet hôtel abrite une bibliothèque constituée d'ouvrages autographiés par les nombreux écrivains qui y ont séjourné. ✆ *6 Frith Street W1 • Plan L2 • 020 7434 1771 • www.hazlitts hotel.com • £££££*

2 Durrants Hotel
Cet hôtel existe depuis 1790. Chambres aux boiseries de chêne, murs ornés de tableaux et sièges de cuir. Atmosphère de confort agréablement desuète. ✆ *George Street W1 • Plan D3 • 020 7935 8131 • www.durrants hotel.co.uk • ££££*

3 Topham's Belgravia
Dentelles, chintz, gravures de chasse et médaillons de cuivre : on se croirait dans un cottage. L'édifice abrite un bar et une petite brasserie servant une cuisine britannique moderne. ✆ *28 Ebury Street SW1 • Plan D5 • 020 7730 8147 • www. tophams.co.uk • £££*

4 Basil Street Hotel
Pénétrant à son rythme dans le XXIe s., cette institution de la Belle Époque abrite des chambres au charme d'antan. Les femmes peuvent se réfugier au Parrot Club. ✆ *Basil Street SW3 • Plan C5 • 020 7581 3311 • www.thebasil.com • ££££*

5 Goring Hotel
Entièrement décoré dans le style Belle Époque, cet hôtel d'inspiration campagnarde, tenu par une famille, associe confort et nostalgie délicieuse. ✆ *15 Beeston Place SW1 • Plan D5 • 020 7396 9000 • www. goringhotel.co.uk • £££££*

6 Blakes Hotel
Dans ce chef-d'œuvre victorien orné de bambou, de volières, de coussins et de rideaux somptueux, chaque chambre possède son propre style exotique. Le Chinese Room, bar et restaurant situé au sous-sol, prolonge ce parti pris en offrant sièges et coussins au ras du sol. ✆ *33 Roland Gardens SW7 • Plan B6 • 020 7370 6701 • www.hempel.com • £££££*

7 The Gore
Inauguré en 1892, cet hôtel a conservé son parfum « fin de siècle ». Tapis persans, palmiers en pot et tableaux soulignent l'élégance de l'édifice abritant des chambres aux meubles anciens. Le restaurant et le bistro méritent également d'être recommandés. ✆ *189 Queen's Gate SW7 • Plan B5 • 020 7584 6601 • www. gorehotel.com • £££££*

8 Portobello Hotel
Plein de caractère, cet hôtel est le genre d'établissement que l'on s'attend à trouver près du grand marché d'antiquités de Londres. La cuisine est préparée par le Julie's, bar à vins tout proche. ✆ *21 Stanley Gardens W11 • Plan A4 • 020 7727 2777 • www.portobello-hotel. co.uk • ££££*

9 The Rookery
Constitué d'un dédale de chambres reliées entre elles, cet hôtel, qui ressuscite la capitale victorienne, dégage un léger parfum ténébreux. Il tire son nom (« colonie de freux ») d'un gang de voleurs qui hantaient autrefois le quartier avoisinant le marché de Smithfield, juste à l'extérieur de la City. ✆ *12 St Peter's Lane EC1 • Plan Q1 • 020 7336 0931 • www.rookery hotel.com • £££££*

10 Dorset Square Hotel
Situé sur une place élégante près de Regent's Park, ce petit hôtel moderne et chic, comportant un joli jardin, est décoré dans un style campagnard qui s'étend jusqu'au restaurant du sous-sol, The Potting Shed, où des concerts de jazz se déroulent du mardi au samedi. Les chambres s'ornent de meubles anciens (deux d'entre elles contiennent des lits à baldaquin). ✆ *39 Dorset Square NW1 • Plan C2 • 020 7723 7874 • www. firmdale.com • ££££*

Remarque : Sauf indication contraire, les hôtels acceptent les cartes de paiement et toutes les chambres disposent d'une salle de bains.

Palm Court, Ritz

Hôtels de luxe

1 The Lanesborough

Dans cet hôtel, le plus luxueux de Londres, la décoration Régence atteint un sommet dans le restaurant Oriental Conservatory. Toutes les chambres sont équipées des appareils dernier cri en matière de technologie de distraction et de communication. Centre de remise en forme.
❀ *1 Lanesborough Place SW1 • Plan D4 • 020 7259 5599 • www.lanesborough. com • £££££*

2 London Marriott County Hall

Offrant des vues inégalées sur Westminster au-delà du fleuve, les chambres ornées de boiseries, la bibliothèque et la salle à manger sont grandioses. Salle de gymnastique, sauna et piscine intérieure. ❀ *County Hall SE1 • Plan N6 • 020 7928 5200 • www.marriott. com/marriott/lonch • £££££*

3 Savoy

Atmosphère de « club londonien » austère et digne, sans fioritures. Petite piscine sur la terrasse du toit de l'édifice. ❀ *1 Savoy Hill, Strand WC2 • Plan M4 • 020 7836 4343 • www. savoygroup. co.uk • £££££*

4 Ritz

Le Ritz est une symphonie de rose, de crème, de dorures, de soieries, de candélabres et de meubles Louis XVI. Outre le Palm Court, très fréquenté à l'heure du thé, le restaurant s'orne d'une terrasse sur jardin. ❀ *150 Piccadilly W1 • Plan K3 • 020 7493 8181 • www.the ritzhotel.co.uk • £££££*

5 Covent Garden Hotel

Le plus innovateur des groupes hôteliers de Londres marie ici style moderne et élégance traditionnelle. Les chambres, au décor individuel, s'ornent de salles de bains luxueuses en marbre. Salle de projection en sous-sol. ❀ *10 Monmouth Street WC2 • Plan L2 • 020 7806 1000 • www.firmdale.com • £££££*

6 Le Méridien Waldorf

Hôtel Belle Époque, pas tout à fait de « top niveau », mais de grande catégorie. Le week-end, lors des bals à l'heure du thé, un orchestre joue sur un balcon en volute. Équipements de loisirs du dernier cri. ❀ *Aldwych WC2 • Plan N3 • 0870 400 8484 • www.lemeridien.com • £££££*

7 Dorchester

Inauguré en 1931, le Dorchester, qui fut l'un des hauts lieux de la vie sociale brillante de Londres, éclipse encore nombre d'établissements. Réservez une suite *superior executive* pour savourer une vue magnifique sur Hyde Park. ❀ *53 Park Lane, W1 • Plan D4 • 020 7629 8888 • www.dorchesterhotel.com • £££££*

8 Brown's

Depuis 1837, date à laquelle cet hôtel de Mayfair fut fondé par James Brown, valet de Lord Byron, l'établissement a gagné en grâce et en style. Digne sans être sélect, ancien, mais tout confort. ❀ *Albemarle Street W1 • Plan J4 • 020 7493 6020 • www.brownshotel.com • £££££*

9 The Berners Hotel

Le bâtiment remontant au XIXᵉ s., s'orne de plafonds richement décorés. Le Reflections, restaurant du lieu éblouissant, suffit à vous donner envie de rester. Centre d'affaires parfaitement équipé. ❀ *Berners Street W1 • Plan K1 • 020 7666 2000 • www.thebernershotel. co.uk • £££££*

10 Grosvenor House Hotel

Cet hôtel, le premier de Londres à s'être doté d'une piscine, abritait une patinoire dans ce qui devint la *Great Room*, salle de banquet la plus vaste d'Europe. ❀ *86–90 Park Lane W1 • Plan C4 • 020 7499 6363 • www.meridien-grosvenor house.com • £££££*

Gauche **Hampstead Village Guesthouse** Droite **Piscine du Richmond Hill**

Hôtels de la périphérie

1 Hampstead Village Guesthouse

En bas de Hampstead High Street, cette demeure victorienne, qui contient objets et jouets du passé, a été transformée en pension de famille. Elle s'orne d'un agréable petit jardin où vous pouvez prendre le *breakfast*. ◊ *2 Kemplay Rd NW3 • Métro Hampstead • 020 7435 8679 • www.hampstead guesthouse.com • ££*

2 Holiday Inn Hampstead

Situé entre Camden et Hampstead, cet hôtel moderne de 140 chambres possède tous les avantages d'un établissement de chaîne hôtelière et abrite le restaurant Junction. Prix avantageux le week-end. ◊ *215 Haverstock Hill NW3 • Métro Belcize Park • 0870 400 9037 • £££*

3 Richmond Hill Hotel

Datant de 1726, cet hôtel particulier au sommet de Richmond Hill, près de Richmond Park, s'orne d'une aile moderne. Quelques chambres élégantes, qui ne sont pas forcément plus chères, donnent sur le fleuve. Les hôtes disposent d'une piscine, d'un sauna et d'un salon de beauté. ◊ *Richmond Hill, Surrey • Train et métro Richmond • 020 8940 2247 • www.corushotels.com • £££*

4 Riverside Hotel

Dans un bel édifice victorien, cet hôtel est remarquablement situé près de la Tamise. Certaines chambres donnent sur le fleuve. L'une d'elles, pourvue de portes-fenêtres, surplombe le jardin de l'établissement. ◊ *23 Petersham Rd, Richmond, Surrey • Train et métro Richmond • 020 8940 1339 • www.riverside richmond.co.uk • ££*

5 Bardon Lodge Hotel

À 15 min de marche de Blackheath Station et à 5 min de Greenwich Park, site de l'Old Royal Observatory (p. 147), cette vaste propriété victorienne abrite 32 chambres, certaines pourvues d'une salle de bains avec jacuzzi. Le restaurant propose un court menu de plats anglais. ◊ *Stratheden Rd SE3 • Train jusqu'à Blackheath • 020 8853 7000 • www. bardonlodge hotel.com • ££*

6 Greenwich Parkhouse Hotel

Cet agréable hôtel particulier s'élève au centre de Greenwich, près de Greenwich Park. Il possède 8 chambres, dont 2 triples, qui surplombent le parc, et des chambres simples. ◊ *1 Nevada St SE10 • Train jusqu'à Greenwich • 020 8305 1478 • www.green wich-parkhouse-hotel.co.uk • £*

7 Ibis Hotel Docklands

Cet hôtel, qui fait partie d'une chaîne française, se dresse près du fleuve à l'est de Canary Wharf, tout près des rues animées. Chambres très convenables et petit-déjeuner sous forme de buffet. ◊ *Blackwall Way E14 • DLR Blackwall • 020 7517 1100 • www.ibishotel. com • £*

8 Jarvis International

Avec ses 56 chambres et son jardin agréable, cet établissement représente une bonne alternative aux vastes hôtels d'Heathrow. ◊ *Bath Rd, Cranford, Middlesex • Métro Hounslow West • 020 8897 2121 • www.jarvis.co.uk • ££££*

9 Le Méridien

Rendez-vous directement à pied du terminal nord de Gatwick à cet élégant hôtel, parfaitement équipé des dernières installations et relié à Londres par le Gatwick Express. ◊ *Gatwick Airport • 0870 400 8494 • www. lemeridien-hotels.com • £££££*

10 Hilton

Hôtel moderne le plus proche de Stansted Airport. Idéal pour les vols du matin, il n'est séparé de l'aéroport que par un court trajet en bus. ◊ *Stansted Airport • 01279 680 800 • www.hilton.com • ££*

Remarque : Sauf indication contraire, les hôtels acceptent les cartes de paiement et toutes les chambres disposent d'une salle de bains.

Catégories de prix	
Prix par nuit pour	**£** moins de 70 £
une chambre double	**££** de 70 à 100 £
avec petit-déjeuner	**£££** de 100 à 150 £
(s'il est inclus), taxes	**££££** de 150 à 200 £
et service compris.	**£££££** plus de 200 £

Gauche **L'auberge de jeunesse City of London** Droite **London City YMCA**

🔟 Hébergement économique

1 Hotel Strand Continental

Objet d'une distorsion du temps, cet hôtel désuet est le moins cher du centre de Londres. ✆ *143 Strand WC2 • Plan N3 • 020 7836 4880 • Pas de salle de bains attenante • £*

2 Arosfa

Le peintre John Everett Millais vécut autrefois dans cet hôtel particulier du XVIIIe s., aujourd'hui transformé en un agréable petit hôtel, avec jardin à l'arrière. ✆ *83 Gower Street WC1 • Plan E2 • 020 7636 2115 • £*

3 Elysée Hotel

Dans une rue tranquille en face de Leinster Mews, l'un des endroits les plus agréables de Londres, ce petit hôtel est l'un des moins chers du quartier. Simple mais confortable. ✆ *25–26 Craven Terrace W2 • Plan B3 • 020 7402 7633 • www. elyseehotel-london.co.uk • £*

4 The Court Hotel

C'est l'un des hôtels favoris des randonneurs australiens et sud-africains. Confort de base dans des chambres individuelles ou communes et réductions pour séjours hebdomadaires. Équipé pour connexion Internet. ✆ *194-196 Earl's Court Road SW5 • Plan A5 • 020 7373 0027 • www.lghhotels.com • £*

5 The Village

C'est le plus vaste de 3 hôtels situés dans la même rue, gérés par St Christopher's Inn, et accueillant en tout 248 personnes. D'autres établissements sont situés à Camden, Greenwich et Shepherd's Bush. Bar, terrasse sur le toit, jacuzzi et sauna. ✆ *163 Borough High Street SE1 • Plan G4 • 020 7407 1856 • www.st-christophers.co.uk • £*

6 Driscoll House Hotel

Des visiteurs du monde entier viennent dans cet hôtel du sud de Londres, ouvert depuis 1913. Il propose cuisine et installations de qualité, dont 8 pianos à la disposition des hôtes. Abritant 200 chambres simples exclusivement, il affiche des prix incluant le petit-déjeuner et le dîner. Prix réduits pour séjours hebdomadaires. ✆ *172 New Kent Road SE1 • Plan G5 • 020 7703 4175 • www.driscollhotel.co.uk • Pas de CB • £*

7 Youth Hostels Association

Il existe 7 auberges de jeunesse à Londres : Oxford Street, City of London, Holland House, St Pancras, Earl's Court, Hampstead Heath et Rotherhithe. Certaines ne servent pas de petit-déjeuner et proposent des installations communes. ✆ *8 St Stephen's Hill, St Albans, Herts AL1 2DY • Réservation centrale 020 7373 3400 • www.yha.org.uk • £*

8 YMCA

La Young Men Christian Association propose des hébergements pour la nuit au London City YMCA (8 Erroll Street EC1) et au Barbican YMCA (Fann Street EC2). Essayez aussi l'YMCA allemand (35 Craven Terrace W2) ou l'YMCA indien (41 Fitzroy Square W1). ✆ *Réservation centrale 020 8509 4564 • £*

9 Host and Guest Service

Cette agence se consacre à l'hébergement économique des visiteurs en chambres d'hôtes, sur tout le Royaume-Uni. Un séjour minimum de 2 nuits est souhaitable. ✆ *103 Dawes Road SW6 • Plan A6 • 020 7385 9922 • www.host-guest.co.uk • £*

10 International Students House

Lors des vacances universitaires, certains logements d'étudiants deviennent disponibles à des prix raisonnables. Cet établissement propose toute l'année des chambres et des dortoirs, à différents prix. Bar, restaurant et cybercafé. ✆ *229 Great Portland Street W1 • Plan J2 • 020 7631 8300 • www.ish.org.uk • Pas de salle de bains • £*

Index

Remerciements

L'auteur

Roger Williams, journaliste né à Londres, vit depuis longtemps à Soho. Il a écrit et dirigé la publication de plusieurs dizaines de guides de voyage, dont celui de la Provence et de Barcelone, publiés dans la collection « Voir » chez Hachette Tourisme. Il est également l'auteur de *Time Traveller*, histoire illustrée des journaux et des périodiques, et de romans, dont *Lunch With Elizabeth David*.

Directeur éditorial Simon Hall
Directeur artistique
Nicola Rodway
Direction éditoriale
Marcus Hardy
Direction artistique
Marisa Renzullo
Direction de la publication
Gillian Allan, Kate Poole, Louise Bostock Lang

Photographe Demetrio Carasco

Illustration Chris Orr and Associates

Cartographie Casper Morris

Plans Tom Coulson, Martin Darlison (Encompass Graphics Ltd)

Éditeurs Michelle de Larrabeiti, Irene Lyford

Documentation Jessica Doyle

Iconographie Brigitte Arora

Lecteur Stewart J. Wild

Index Hilary Bird

Informatique éditoriale Jason Little

Fabrication
Joanna Bull, Marie Ingledew

Collaboration éditoriale et artistique

James Hall, David Saldanha, Lilly Sellar, Melanie Simmonds, Hayley Smith, Rachael Symons

Photographies d'appoint

Max Alexander, June Buck, Jo Cornish, Michael Dent, Mike Dunning, Philip Enticknap, John Heseltine, Roger Hilton, Ed Ironside, Colin Keates, Dave King, Bob Langrish, Robert O'Dea, Stephen Oliver, John Parker, Rob Reichenfeld, Kim Sayer, Chris Stevens, James Strachan, Doug Traverso, Vincent Oliver, David Ward, Matthew Ward, Steven Wooster

Illustrations d'appoint Van Dyk

Crédits photographiques

h = en haut ; hg = en haut à gauche ; hgc = en haut à gauche au centre ; hc = en haut au centre ; hd = en haut à droite ; cgh = au centre à gauche en haut ; ch = au centre en haut ; cdh = au centre à droite en haut ; cg = au centre à gauche ; c = au centre ; cd = au centre à droite ; cgb = au centre à gauche en bas ; cb = au centre en bas ; cdb = au centre à droite en bas ; bg = en bas à gauche ; b = en bas ; b = en bas au centre ; bcg = en bas au centre à gauche ; bd = en bas à droite ; (d) = détail.

Les éditeurs tiennent à remercier les personnes, compagnies et photothèques suivantes, qui nous ont permis de publier leurs photographies.

Arch (1979) œuvre de Henry

Moore, à Kensington Gardens, page 28b, a été reproduite avec l'aimable autorisation de la Henry Moore Foundation.

ARCAID : Richard Bryant. Architecte : Foster and Partners 11c, 11b, 11h ; ARCBLUE: Peter Durant 16g, 18cg.

ARENA IMAGES : Nigel Norrington 61h ; Michael le Poer Trench 60-61b ; Colin Willoughby 60hg.

BRIDGEMAN ART LIBRARY, London / New York : Guildhall Library, Corporation of London 43c ; Kenwood House 51h ; BRITISH LIBRARY : 107bg ; BRITISH MUSEM : 6hd, 8b, 9hg, 9cb, 9bg, 9cdh, 10hd, 10bg ; Peter Hayman 8cd ; Liz McAulay 10c ; BROMPTON HOTEL : 172hd.

CAMERA PPRESS : Cecil Beaton 39b ; CHRIS CHRISTODOULOU : 57cd ; COLLECTIONS : Brian Shuel 66hd ; David McGill 80hg, 130cg ; James Bartholomew 7cdb ; John D. Beldom 55bd, 66cd, 119bd ; Keith Pritchard 153bg ; Liz Stares 17bg ; Nigel Hawkins 129hg ; Oliver Benn 150hd ; BILL COOPER : 56c ; CORBIS : S. Carmona 160h ; Jeremy Horner 147hg ; Robbie Jack 99bd ; London Aerial Photo Library 6cg, 16-17c ; Kim Sayer 154bg ; Grant Smith 17d ; Adam Woolfitt 34cb

THE ENGLISH HERITAGE PHOTO LIBRARY : 148bd

FINANCIAL TIMES : 72c ; FRUED MUSEUM, LONDON : 52b ; FRIENDS OF HIGHGATE

CEMETERY : Doug Traverso 75bg, 143hg.

GETTY IMAGES : Hideo Kurihara g ; Jo Cornish 30-31 ; SALLY AND RICHARD GREENHILL : Sally Greenhill 164hd.

LEIGHTON HOUSE MUSEUM : 53bg ; THE LONDON AQUARIUM : 68bg.

MADAME TUSSAUD'S, LONDON : 128hg, 129bl ; MARINEPICS LTD : Mark Pepper 156hd ; MARY EVANS PICTURE LIBRARY : 52c, 72hg, 72hc, 72bg. MAXWELLS GROUP : 59g ; MEADOWCROFT GRIFFIN ARCHITECTS : David Grandorge 145h ; MUSEUM OF LONDON : 44c, 44b, 44h, 45hg, 136cg.

NATIONAL GALLERY, LONDON : 12b, 12h, 13cd, 13cb, 13bg, 13h, 50c, 50cg ; NATIONAL MARITIME MUSEUM : James Stevenson 48b, 149cd ; NATIONAL TRUST PHOTOGRAPHIC LIBRARY : Bill Batten 149hg, Michael Boys 52hd ; NATIONAL PORTRAIT GALLERY, LONDON : 6c, 14cg, 14bg, 14-15c, 14bd, 15hg, 15cg, 15cd, 15b. NATURAL HISTORY MUSEUM, LONDON : 22b, 23hg, 23hd, 23c, 23b, 119bg ; Kokoro 22cd.

PERETTI COMMUNICATIONS : Chris Gascoigne and Lifschutz Davidson 77hd ; PHILP WAY PHOTOGRAPHY : 40bg, 40-41c, 41cd, 41h, 42c, 42bg, 43b, 80hd ; PHOTOFUSION : Paul Bigland 153hg, 155bd ; Paul Doyle 152cd ; Ray Roberts 67hd ;

PICTURES COLOUR LIBRARY : 4-5 ; POPPERFOTO : Reuters/Greg Bos 72hd ; PRESS ASSOCIATION PICTURE LIBRARY : Toby Melvill 28bd ; PRIVATE COLLECTION : 43hd.

REX FEATURES : 27b ; Andy Watts 67bd ; Ray Tang 73bg ; Tim Rooke 26bd, 54hg ; RICHMOND HILL HOTEL : 178hd. THE RITZ, LONDON : 177hg ; ROBERT HARDING PICTURE LIBRARY : 66hg, 66cg, 84hd, 107bd ; Nigel Francis 28-29c ; Simon Harris 36-37c ; D. Hughes 137hg ; M.P.H. 26bl ; Walter Rawlings 130bd ; R. Richardson 34-35c ; Ellen Rooney 54hd, 67bg ; A. Tovy 126-127 ; Adam Woolfitt 67cd. THE ROYAL COLLECTION © 2001 HER MAJESTY QUEEN ELIZABETH II : A. C. Cooper Ltd. 27hg ; Crown © HMSO 39cg ; Crown © HMSO 39hd ; Derry Moore 27hd ; ROYAL BOTANIC GARDEN, KEW : 147bd ; ROYAL GARDEN HOTEL : 173hg.

SCIENCE MUSEUM : 24hd, 24c, 24bd, 25cdh, 25bg ; Antony Pearson 25cdb ; National Railway Museum/Science and Society 25hg ; STRINGFELLOWS : 59d.

© TATE, LONDON 2001 : 6bg, 20cg, 20bd, 20-21c, 21hg, 21c, 21bg, 21d, 21bd, 50tr ; *Three Studies for Figures at the Base of a Crucifixion* (l'un des trois panneaux) (c. 1944), Francis Bacon 21cd ; *Le Bain* (1925), Pierre Bonnard © ADAGP, Paris et DACS, London 2001 18cb ; *Composition (Homme et femme)*, (1927), Alberto Giacometti © ADAGP, Paris et DACS, London 2001 19cb ; *England* (1980), © Gilbert et George 19d ; Les trois *Danseurs* (1925), Pablo Picasso © Succession Picasso/DACS 2001 18hd ; *Summertime : No. 9A* (1948), Jackson Pollock © ARS, New York and DACS, London 2001 18-19b ; *Light Red over Black* (1957), Mark Rothko © 1998 Kate Rothko Prizel et Christopher Rothko/DACS 19ch ; *Marilyn Diptych* (1962), Andy Warhol © The Andy Warhol Foundation for the Visual Arts, Inc./ARS, NY and DACS, London 2001 18-19c.

TRANSPORT OF LONDON : 164hg.

AVEC L'AIMABLE AUTORISATION DE LA VANDA PICTURE LIBRARY : 119hg ; Bethnal Green Museum of Childhood 69h.

WAGAMAMA LTD. : 77bg ; THE WALLACE COLLECTION : 50b ; Philip Way Photography : 40bg, 40-41c, 41cd, 41h, 42c, 42bg, 43b, 80hr ; WOODMANSTERNE PICTURE LIBRARY : 40b.

COUVERTURE : Toutes les photographies ont été spécialement réalisées pour cette édition, à l'exception de : ARCBLUE : Peter Durant rabat intérieur bcd ; CORBIS : Jeremy Horner rabat intérieur bd ; ROBERT HARDING PICTURE LIBRARY : B/C cg ; LONDON'S TRANSPORT MUSEUM : F/C ch, THE PHOTOGRAPHERS LIBRARY : F/C photographie principale.

L'iconographie complémentaire est de © Dorling Kindersley. Pour plus de précisions, consultez *www.dkimages.com*.